GEORGES SIMENON

Nació en 1903 en Lieja, Bélgica, en una familia de escasos medios. Estudia sólo hasta los 15 años porque tiene que buscarse la vida. Tras vivir un año de toda suerte de trabajos, no siempre legales, en 1919 entra como reportero en *La Gazette de Liège*. En 1921 publica su primera novela, *Le Pont des Arches*. Al año siguiente parte hacia París, donde empieza a colaborar en *Le Matin*. Tras diez años de intensa vida bohemia, durante los que escribe por encargo más de mil novelitas populares, reportajes y artículos, consigue, en 1931, firmar su primer contrato con una editorial literaria y publica la primera de las **117 novelas** que finalmente le llevarán a la fama y que le convertirán en uno de los «escritores más importantes de nuestro siglo», según Gabriel García Márquez. Curiosamente, ese mismo año concibe al hoy célebre personaje del **comisario Maigret,** que protagonizará una serie de **76 novelas policíacas, clásicas** ya del género.

Libros de Georges Simenon
en Tusquets Editores

Georges Simenon

Los vecinos de enfrente

FABULA
TUSQUETS
EDITORES

Título original: *Les gens d'en face*

1.ª edición en Colección Andanzas: marzo 1994

© 1993, State of Georges Simenon. Todos los derechos reservados
© de la traducción: Carlos Pujol, 1994

Diseño de la colección: Pierluigi Cerri

Ilustración de la cubierta: detalle de ilusrtración en acrílico de Rob Day,
10 x 13 cm. © Rob Day, 1993

Reservados todos los derechos de esta edición para
Tusquets Editores, S.A. - Cesare Cantú, 8 - 08023 Barcelona

ISBN: 84-8310-577-2

Fotocomposición: Foinsa - Passatge Gaiolà, 13-15 - 08013 Barcelona

Impresión y encuadernación: GRAFOS, S.A. Arte sobre papel
Sector C, Calle D, n.º 36, Zona Franca - 08040 Barcelona
Impreso en España

Los vecinos de enfrente

1

—¿Cómo es eso? ¡Si hay pan blanco!

Los dos persas, el cónsul y su mujer, entraron en el salón, y fue ella la que se extasió ante la mesa cubierta de emparedados artísticamente dispuestos.

Apenas hacía un minuto que alguien había dicho a Adil Bey:

—En Batum sólo hay tres consulados: el de ustedes, el de Persia y el nuestro. Pero los persas no son de recibo.

Quien hizo este comentario fue la señora Pendelli, la mujer del cónsul de Italia, y éste, retrepado en un sillón, fumaba un delgado cigarrillo con boquilla de color rosa. Las dos mujeres se reunieron sonriendo en medio del salón en el preciso instante en que unos sonidos, que hasta entonces no habían sido más que un vago rumor en la soleada ciudad, fueron en aumento, y de repente, en la esquina de la calle, se oyó una música de charanga.

Entonces todo el mundo salió a la terraza para contemplar el cortejo.

* * *

El único nuevo era Adil Bey, tan nuevo que había llegado a Batum aquella misma mañana. En el consulado de Turquía le esperaba un funcionario que había venido de Tiflis para aquella interinidad.

Este funcionario, que partiría aquella misma tarde,

había llevado a Adil Bey a casa de los italianos, con objeto de presentarle a sus dos colegas.

La música se oía cada vez mejor. Podían verse los instrumentos metálicos avanzando bajo el sol. Lo que tocaban quizá no fuese alegre, pero sí rápido, y lo hacía vibrar todo a su paso: el aire, las casas, la ciudad.

Adil Bey observó que el cónsul de Persia había ido a reunirse con el funcionario de Tiflis cerca de la chimenea, y que los dos conversaban en voz baja.

Luego dirigió su atención hacia el cortejo, porque detrás de la charanga se distinguía un ataúd pintado de color rojo vivo, llevado a hombros por seis individuos.

—¿Es un entierro? —preguntó tontamente, volviéndose hacia la señora Pendelli.

Y ésta frunció los labios para no reírse al verle tan pasmado.

Era un entierro, el primer entierro que Adil Bey veía en la URSS. Los músicos de la charanga vestían como si fueran de un club gimnástico, de blanco, con zapatillas en los pies y una gran escarapela roja a la altura del corazón. El ataúd era de madera mal cepillada y mal pintada, pero de un rojo cegador. En cuanto a la gente que andaba tras él, lo seguían como a una banda de música. Unos iban en mangas de camisa, otros con camiseta de cuello alto, había mujeres con vestidos de algodón blanco, sin medias, solamente dos hombres llevaban chaqueta y corbata, sin duda jefes, se veían muchas cabezas rapadas, y en la última fila un joven montado en una preciosa bicicleta nueva, que hacía zigzags para no perder el equilibrio, y que de vez en cuando se apoyaba con la mano en el hombro de una muchacha.

En el momento de pasar ante el consulado todos levantaron la cabeza y miraron a los extranjeros de la terraza.

—¿Qué piensan? —murmuró Adil Bey.

La persa, que le había oído, replicó cínicamente:

—¡Que comeremos pan blanco!

Se reía. Los hombres que desfilaban por la calle la veían reír. Su rostro no cambiaba de expresión. Pasaban. Iban tras la banda y el ataúd rojo. Nadie hubiera sabido decir si estaban alegres o tristes, y Adil Bey, sintiéndose incómodo, retrocedió hacia el salón.

—¿Ha visitado ya la ciudad? —dijo la persa, que le había seguido.

—Todavía no he visto nada.

—¡Es un rincón del mundo!

Le miraba fijamente con aquellas pupilas negras que eran lo más desvergonzado que el turco había visto en toda su vida. Nunca nadie le había examinado de aquella manera, como un objeto que aún no se está seguro de querer comprar. Y lo peor era que las impresiones de ella podían leerse en su rostro. Se adivinaba perfectamente que estaba pensando: «No está ni bien ni mal, quizás un poco bobalicón».

Finalmente dijo en voz alta:

—Como ya sabe, estamos condenados a vivir juntos durante meses, tal vez años. En total somos seis, incluyendo a John, de la Standard, pero siempre está borracho. A propósito, querida, ¿no vendrá John?

Todo el mundo volvía a entrar mientras la cola del cortejo desaparecía al fondo de la calle. El aire aún vibraba. Hacía bochorno.

—¿Se va usted? —se extrañó la señora Pendelli.

Porque el funcionario de Tiflis se estaba despidiendo.

—Mi tren sale dentro de una hora.

—¿Y usted también? —siguió la italiana dirigiéndose al cónsul de Persia.

—Discúlpenme un instante, vuelvo enseguida. Tengo que comentar algo con él.

Verdaderamente, Adil Bey era demasiado nuevo para poder intervenir en la actividad que le rodeaba. Volvió a encontrarse, con una taza de té en la mano, sentado en un sillón entre la italiana y la persa, mientras que, frente a él, Pendelli resoplaba quedamente, pues estaba muy gordo y el calor le agobiaba.

El salón era espacioso, con tapices, cuadros en las paredes, muebles igual que en todos los salones. En la bandeja había emparedados, pastelillos y una botella de vodka. El ventanal se abría a la terraza inundada de sol, y de allí venían vaharadas ardientes con un olor peculiar, un ambiente de calle desierta.

La taza de la señora Pendelli tintineó al chocar con el plato, y Pendelli murmuró con un suspiro:

—¿Habla usted ruso?

Parecía no dirigirse a nadie, porque miraba los emparedados, pero Adil Bey respondió:

—Ni una palabra.

—Mejor que sea así.

—¿Por qué es mejor?

—Porque prefieren a los cónsules que no entienden ruso. Todo eso salen ganando.

Pendelli hablaba condescendientemente, como alguien que se juzga a sí mismo muy bueno por tomarse tantas molestias. La persa continuaba su examen de Adil Bey. La señora Pendelli lucía una vaga sonrisa de dueña de la casa.

—Naturalmente, la harina la traen los barcos, ¿no?

A Adil Bey le pareció que la música volvía a acercarse de nuevo, pero esta vez por la parte trasera de la casa. La persa siguió en el mismo tono con que hubiese podido decir una picardía:

—¡Todo el mundo no puede ser cónsul de Italia y ver llegar un carguero por semana! Aparte de que es una distracción cenar a bordo, recibir a los oficiales...

—También acaba por cansar —dijo la señora Pendelli sirviendo té a Adil Bey.

Entonces éste cometió la torpeza de preguntar:

—¿No vienen nunca barcos turcos?

Pendelli se agitó en su sillón. Se agitó sin ningún propósito, de una forma imperceptible, pero todos comprendieron que iba a decir algo.

—¿Existen barcos turcos?

No reía. Tenía los labios entreabiertos, los párpados semicerrados.

Adil Bey aún no sabía lo que iba a suceder, pero tenía ya los ojos brillantes y las mejillas ardiendo.

—¿Qué quiere decir?

La señora Pendelli dejó caer dos terrones de azúcar en la taza. Pendelli adoptó un aire bonachón.

—No se enfade. Pero la idea de un barco pilotado por un turco...

—Somos unos salvajes. ¿No es eso?

De pronto la situación se había vuelto tensa. Adil Bey estaba de pie. Ya no veía los objetos ni los rostros con la misma claridad.

—¡Claro que no! Siéntese. Hace casi diez años que ya no cortan ustedes cabezas...

La señora Pendelli sonreía con condescendencia.

—Su té, Adil Bey.

—Muchas gracias.

—Mi marido bromea, se lo aseguro.

—Es posible, pero yo no. Somos una república joven, lo sé. Sin duda todavía conservamos ciertas ineptitudes, pero...

—¡Pero quieren que les traten como la nación más grande del mundo!

Ya nadie hubiera podido decir cómo había empezado todo aquello. El cónsul de Persia había vuelto a entrar silenciosamente.

—Acérquese, Amar. Nuestro nuevo amigo no entiende las bromas, y se pone tan divertido cuando se enfada... Dígame, Adil Bey, ¿sabe jugar al bridge?

—No —y añadió duramente—: ¡Es un juego demasiado refinado para un turco!

La señora Pendelli trató de calmarle.

—Le juro que mi marido...

—Su marido cree que Italia es lo único que existe en el mundo. Aún se imagina a Turquía con harenes, eunucos, cimitarras y feces rojos.

—¿Qué edad tiene usted? —preguntó la persa sonriendo.

A lo cual él respondió, sin renunciar a la mordacidad:

—Treinta y dos años. Me batí por mi país en los Dardanelos, y luego por la República en el Asia Menor. Nunca permitiré que en mi presencia...

—¿Dónde nació? —preguntó Pendelli, que acababa de encender un nuevo cigarrillo.

—En Salónica.

—Eso ya no es Turquía. Al parecer los griegos la han convertido en una ciudad muy hermosa...

Adil Bey estaba furioso. Se olvidó de dónde estaba la puerta y se dirigió derechamente hacia un armario empotrado. La señora Amar no pudo contener la risa, y él la miró con tanta indignación que la dama tuvo que secarse los ojos con el pañuelo.

Hasta llegar a la calle, Adil Bey caminó inconsciente. Apenas advirtió que le seguía la señora Pendelli, y que, mientras andaban por el pasillo, le puso una mano sobre el hombro diciéndole con un mohín:

—No hay que tomarse en serio todo lo que dice mi marido. Le gustan las bromas pesadas.

Recogió su sombrero y se sumergió en el sol. Las calles ardían como un horno. Durante más de un cuarto de hora anduvo sin rumbo fijo, sin ver nada, rumiando su rencor. Luego trató de reconstruir las fases sucesivas de la discusión.

Era imposible. En cambio, podía evocar imágenes, sobre todo la de Pendelli, macizo, adiposo, repantingado en su sillón y fumando aquellos ridículos cigarrillos de señora. ¿No rezumaba orgullo por todos los poros? Tenía una hermosa casa con terraza, un salón y hasta un piano de cola en el que debía de tocar su mujer. Servía emparedados refinados, como en Europa. Tenía pan blanco.

—Y cree que los persas no son de recibo —dijo Adil Bey a media voz.

En el fondo, él también lo creía. No le gustaban los persas. La señora Amar le había irritado con su forma insolente de examinarle de pies a cabeza. En cuanto al cónsul, no había dicho nada. Era delgado, anodino, con un bigotito castaño, vestía un traje de no muy buenas hechuras y llevaba zapatos de charol. «¡Me han recibido así a propósito!»

Era el día de descanso que en Rusia sucede a cinco jornadas de trabajo. A medida que se acercaba al puerto, Adil Bey iba viendo más gente que andaba por las calles, y, poco a poco, a pesar de su ira, empezó a mirar a su alrededor.

Pero eran sobre todo los demás los que le miraban a él. A su paso, todo el mundo giraba la cabeza y le seguía largamente con la mirada. ¿Qué tenía de extraordinario?

El cielo se hacía cada vez más rojo, las sombras más azules. Al menos debían de ser las ocho. La muchedumbre iba en la misma dirección, y Adil Bey, que la seguía, desembocó en el puerto. La ciudad entera se había desparramado por el muelle, y una impresión de vida tumultuosa sucedía a la sensación de vacío que percibía en las calles. También sonaba música en algún lugar. Acababa de llegar un barco de Odessa. Cientos de personas desembarcaban, y cientos de otras las miraban pasar.

El cielo y el mar eran de color púrpura. Los mástiles se dibujaban en negro. Unas barcas oscilaban sin ruido.

Y hombres y mujeres rozaban sin cesar a Adil Bey,

le miraban sin ningún reparo. Incluso algunos niños le seguían para verle mejor.

De vez en cuando se olvidaba del cónsul de Italia y trataba de situarse en el espacio.

A derecha y a izquierda de la bahía el horizonte quedaba cerrado por montañas, y al fondo se situaba aquel largo muelle que recorría el gentío. En la misma bahía, unos barcos, siete u ocho, quizá más, parecían enviscados en el agua tranquila.

En cuanto a la ciudad, detrás del puerto, eran callejas que se prolongaban hasta el infinito, mal adoquinadas o sin adoquinar, flanqueadas por casas decrépitas.

Sintió sed. Vio una especie de merendero junto al puerto y se sentó ante una mesa. Un camarero iba y venía sirviendo cerveza y refrescos. Se pagaba con rublos de papel. Adil Bey pensó que aún no tenía dinero ruso y se fue.

Se iban encendiendo las farolas de gas, al mismo tiempo que las linternas verdes y rojas de los barcos anclados. Unos marineros italianos pasaron en compañía de mujeres con chanclos. El hombre de la bicicleta se paseaba muy lentamente montado en ella, con una muchacha sobre el cuadro. A causa de la muchedumbre daba vueltas y revueltas.

El aire era fresco. Una fina niebla descendía hacia el pie de las montañas.

La música se oyó con más intensidad, como cuando el entierro había aparecido en la calle, pero ahora ya no era el entierro.

Se encontró una casa nueva con numerosas ventanas. Puertas y ventanas permanecían abiertas. Había chicos y chicas sentados en los alféizares, y dentro se veían guirnaldas de papel, retratos de Lenin y de Stalin, carteles de propaganda.

Esta era la casa que la música hacía vibrar, mientras

que en una de las habitaciones de la planta baja, con las paredes cubiertas de gráficos, unos hombres en mangas de camisa escuchaban a un camarada que hablaba y que daba puñetazos sobre la mesa.

Si aquello le recordó el entierro, no fue solamente por la música. Había algo común en la actitud de la gente, en los que antes iban detrás del féretro o en los que ahora estaban en las ventanas o escuchaban al orador, algo que hizo pensar a Adil Bey que nunca llegaría a comprenderlo.

Pero ¿qué era? No era tan sólo su manera de vestir, que evocaba un club o una sociedad de beneficencia. La mayoría iba de blanco, con el cuello de la camisa abierto. Muchos tenían la cabeza rapada. Las mujeres no llevaban medias, sino en la mayoría de los casos unos calcetines arrollados sobre el tobillo, con vestidos de algodón de colores claros.

¿Por qué le parecían todos tan extraños a él, incluso los de la calle, que daban media vuelta al pie de la estatua de Lenin, un Lenin de bronce, de corta estatura, macizo, con los pantalones flojos y los pies apoyados sobre una bola que representaba el mundo?

Existía un violento contraste entre el hombre negro, tan pequeño, y aquellos muchachotes, aquellas jóvenes vestidas de colores claros, que pasaban una y otra vez ante él, y que miraban a Adil Bey entre risas.

«¿Cómo empezó la disputa?», se preguntó de nuevo. Ahora estaba triste. Se sentía solo; Fikret, el funcionario que había ocupado el puesto interinamente, había regresado a Tiflis, y en cualquier caso no era simpático. Apenas se había tomado la molestia de recibir al cónsul.

—Lo encontrará todo en la misma situación en que yo lo encontré hace un mes, a la muerte de su predecesor —le había dicho.

—¿De qué murió?

El funcionario no tenía ganas de hablar.

—La secretaria vendrá mañana por la mañana. Ya está al corriente. Desde luego, es rusa.

—¿Hay que desconfiar de ella?

Su interlocutor se había encogido de hombros. ¿No hubiera debido darle algunas explicaciones, como suele hacerse entre compatriotas, y de este modo ayudar a Adil Bey en la organización de su vida material?

De pronto cayó en la cuenta de que ¡ni siquiera sabía dónde podía comer! Recordaba haber visto a una criada en la cocina, y también a un hombre cuyas funciones ignoraba. ¿Estaban a su servicio?

Ahora, ¿a quién podía dirigirse? Se había peleado con los italianos, y a la vez probablemente con los persas.

Continuaba siguiendo a la muchedumbre, desde la estatua de Lenin a la refinería de petróleo. Cerca del puerto de pesca había varias casas nuevas en medio de descampados, y, allí, hombres, mujeres y niños, sentados o tendidos en el suelo. No eran los mismos que los del entierro, ni tampoco los de la casa grande, ni siquiera se parecían a los del gentío en movimiento. Eran sucios y tristones. Adil Bey oyó hablar turco, y comprobó que lo hablaban los más miserables, vestidos con andrajos, revolcándose en el polvo como gitanos.

Ya les había dejado atrás, pero dio media vuelta y deteniéndose cerca de ellos, preguntó:

—¿Sois turcos?

Se levantaron varias cabezas indiferentes. Le miraban de arriba abajo. Luego, con la misma lentitud, volvieron la cabeza. ¡Y sin embargo aquellas gentes hablaban su mismo idioma!

Debía de parecer un estúpido, allí, de pie en medio de ellos, y sintió al mismo tiempo vergüenza y cólera.

Al menos había recorrido seis o siete veces aquel muelle en toda su longitud. El gentío era cada vez menor.

Serían poco más de las diez. En un rincón había varias mujeres, y una de ellas dio dos pasos al frente para cruzarse en su camino, luego volvió con las otras.

«La señora Pendelli debe de ser más inteligente que su marido», pensó. Pero ¿de qué podía servir? Ya no podía prestarle ninguna ayuda. Volvió a ver todas las ventanas con jóvenes asomándose. Durante unos minutos anduvo envuelto en una nube de música.

Se preguntaba de qué había muerto su predecesor. ¿Quién era? ¿Qué edad tenía?

Dos veces se equivocó de camino al querer regresar al consulado. Las calles se parecían, con la calzada llena de surcos abiertos por la lluvia y las aguas inmundas, con montones de piedras abandonadas y puertas que se abrían a oscuros portales.

Por fin reconoció la casa de la que ocupaba el primer piso. La escalera no estaba iluminada. Tropezó con una pareja que se abrazaba y balbuceó disculpas.

Tenía una llave. Apenas dar los primeros pasos comprendió que el piso estaba vacío, y eso le produjo una vaga inquietud. En el consulado de Italia se charlaba lánguidamente en el salón iluminado, delante de unos emparedados y unos vasos de vodka. El perfume de la señora Amar hubiese bastado para impregnar la atmósfera de feminidad.

—¿Hay alguien? —gritó en la oscuridad, mientras buscaba el conmutador eléctrico.

De una bombilla sin pantalla descendió una luz triste, y vio el vestíbulo con sus dos bancos, sus paredes decoradas con avisos oficiales, su olor a miseria.

La habitación siguiente era su despacho. Luego, a la izquierda, había una especie de comedor. Un velador atrajo su atención, y al principio no supo por qué. Más tarde consiguió recordar. Por la mañana había visto allí encima un fonógrafo y unos discos. Ahora el fonógrafo había desaparecido. ¡Como también había desaparecido el tapiz turco que recubría el diván!

—¿No hay nadie? —repitió con voz insegura.

No, nadie, ni en su habitación ni en la cocina, donde podía verse un grifo encima de un sucio fregadero.

Todo estaba sucio: las paredes, los techos, los muebles, los papeles, cubiertos de una suciedad lúgubre, como la que se ve en los cuarteles y en ciertas oficinas públicas. Sobre el aparador no había nada de comer, y los platos del almuerzo tampoco se habían lavado.

—¿A qué venía tanta insistencia en despreciar Turquía? —gruñó mientras buscaba un lugar donde sentarse.

Recordaba muy bien la bonita mano de la señora Pendelli sujetando las tenacillas del azúcar encima de su taza. La señora Pendelli estaba muy bien. Su vestido de seda azul hacía resaltar sus contornos, porque era carnosa. Como también eran carnosos sus labios, que al abrirse dejaban ver unos dientes blanquísimos. Pero sobre todo se movía por su salón con una soltura de mujer de mundo. «¡No es como esa morenucha de la persa! Una desvergonzada, con la carne dura como una aceituna, que seguro que se echa en brazos de todos los hombres.»

Adil Bey ni siquiera sabía dónde estaba su cama. No le había dado tiempo para deshacer su equipaje. Bebió agua del grifo y le encontró un sabor farmacéutico.

Oyó pasos en el piso de arriba. Miró por la ventana y vio a alguien acodado en la ventana de enfrente, en la oscuridad, tomando el fresco sin decir nada.

Como en el consulado no había cortinas, veían todo lo que estaba haciendo Adil Bey. ¿Había visto cortinas por la mañana? No conseguía recordarlo. Y cuando trató de instalarse en algún sitio todas las lámparas se apagaron a la vez, no sólo en el piso, sino también en la calle.

La pareja de enfrente seguía acodada en su ventana, porque no había advertido ningún movimiento. Adil Bey acabó incluso por distinguir la blancura de la camisa del hombre, y luego la mancha lechosa de las caras.

Las bombillas seguían sin encenderse de nuevo. No era una avería, sino el corte de corriente de todos los días a medianoche. Se oyeron pasos en una calle vecina. Un animal gritó, un gato o un perro.

¿También el consulado de Italia se quedaba sin corriente? ¿No tendrían al menos preparadas linternas para estos casos? Adil Bey, que no fumaba, ni siquiera tenía cerillas.

Miraba desoladamente a su alrededor, mientras un vago halo, procedente del cielo por el que corrían unas nubes blancas, impregnaba poco a poco la oscuridad.

Lo único que podía hacer era irse a dormir. Se acostó completamente vestido sobre el diván y se sobresaltó cuando le alcanzó un rayo de luna. ¿Había llegado a adormecerse? No lo sabía. Se precipitó hacia la ventana. Buscó con los ojos la ventana de enfrente, y al principio vio un punto brillante, la brasa de un cigarrillo, luego la manga de una camisa, un brazo doblado, la cabeza de un hombre, y, muy cerca, la mujer que había dejado caer sus cabellos sobre los hombros.

La claridad de la luna se infiltraba hasta la misma sombra de detrás de la pareja. Adil Bey adivinó el rectángulo blanco de una cama. «Me están viendo», pensó. «Es imposible que no me vean.»

A modo de bravata, pegó su cara al cristal, sin detenerse a pensar si su nariz aplastada contra él resultaba amenazadora o cómica.

2

Adil Bey se despertó inundado de sol, con la piel sudorosa, los párpados calientes, y, sin levantarse del diván, sin alzar siquiera la cabeza, lo primero que hizo fue mirar la casa de enfrente, que estaba bañada en sombras.

Enseguida se puso en pie, irritado, y su primer ademán fue para alisarse los alborotados cabellos. Al otro lado de la calle la ventana estaba abierta. Una mujer ordenaba el cuarto, y el modo con que acababa de mirar a Adil Bey indicaba que no era la primera vez que lo observaba.

Al menos en la cocina no podría verle. Fue allí. Como no tenía toalla, empapó su pañuelo y se lo pasó por la cara, bebió un sorbo de agua, se enderezó la corbata y volvió a la ventana, sombrío y receloso, con el pecho tan vacío y tanto amargor en la boca como después de una noche de orgía.

La mujer se inclinaba sobre la cama de matrimonio, cuyas sábanas estaba desplegando. Había dos almohadas, y Adil Bey advirtió que a la derecha de la alcoba había una segunda cama más estrecha.

Una vez más la vecina se volvió hacia él, pero al encontrarse con su mirada no insistió. Era joven, robusta, de un tipo georgiano muy acusado. Sin duda por carecer de bata o de otra prenda semejante, se había enfundado sin más en un vestido de seda artificial. Y este vestido, de un amarillo chillón, que a cada movimiento se le pegaba a la piel, súbitamente trajo a Adil Bey como bocanadas familiares.

Aquel cuarto era toda la vivienda de los de enfrente, porque se veían estantes con libros, una mesa con tazas y platos, un infiernillo de alcohol en el que algo se cocía. De una de las paredes colgaban prendas de vestir, y Adil Bey terminó por no ver más que un disco verde, una gorra verde que no tardó en convertirse en el centro del decorado: la de un agente de la GPU.

Aún no había percibido un rumor inconcreto que subía de la calle, y bajó la cabeza. Al menos doscientas personas hacían cola en la estrecha acera, unas sentadas en el suelo, otras de pie, y la cola empezaba ante la puerta de enfrente. Debía de ser una cooperativa. Adil Bey no acertó a leer lo que habían escrito con tiza en los cristales.

Dirigió la vista hacia el piso. La mujer del vestido amarillo cerraba la ventana adornada con cortinas, y con una mano se soltaba el cabello.

¿Por qué se sentía tan cansado? Sin ninguna razón empujó la puerta de su despacho y se quedó durante un rato inmóvil, aturdido. Le esperaban más de veinte personas, sentadas en las sillas, en el canapé, en el alféizar de la ventana abierta, y en el vestíbulo se adivinaban otras tantas. Todos le miraban tranquilamente, sin saludarle siquiera, pero un campesino que vestía como los montañeses, que debía de haber sido el primero en llegar, puso sobre la mesa un pasaporte abierto.

Sólo una joven se levantó, una rubia vestida de negro que estaba sentada a una mesilla, y que pareció quedarse esperando tras una sombra de reverencia.

Adil Bey no podía seguir en la puerta. Con veinte pares de ojos fijos en él, avanzó hacia su sillón acanalado y se sentó dándose toda la importancia que pudo, mientras el montañés aprovechaba la ocasión para acercar el pasaporte a su mano.

Lo extraño e impresionante era que toda aquella gente guardaba silencio. Y no era por respeto, porque algunos fumaban, y el sucio parqué estaba lleno de escupitajos. ¿Cuánto tiempo llevaban esperando? ¿Qué querían?

—Señorita... —dijo Adil Bey en francés.

—Sonia —respondió la joven vestida de negro, que se sentó al otro lado de la mesa.

—Supongo que usted es mi secretaria, ¿no?

—Sí, soy la secretaria del consulado.

—¿Habla usted turco?

—Un poco.

Era muy joven, pero no parecía intimidada. Ya tenía la estilográfica en la mano, y miraba el pasaporte como si se dispusiera a trabajar.

Adil Bey también miró el pasaporte, pero no entendió nada porque era un pasaporte soviético. Quiso ganar tiempo. Simulaba leerlo. Miraba a su alrededor a hurtadillas. Así fue como advirtió que había un teléfono sobre la mesa. También comprobó que sus visitantes eran gente pobre vestida de un modo incongruente. Delante de él una mujer daba el pecho a su bebé, y el viejo que estaba sentado junto a ella, con un gorro de astracán, iba descalzo.

—Señorita Sonia...

Ella se limitó a levantar la cabeza.

—Venga aquí un momento, por favor.

Entró en su cuarto. La ventana de enfrente seguía cerrada. La joven advirtió enseguida que nadie había dormido en aquella cama.

—Señorita Sonia, hoy no tengo tiempo de ocuparme de toda esa gente. ¿Hace mucho que esperan?

—Algunos desde la seis de la mañana. Hay diez.

—A pesar de todo, ¿querrá usted decirles...?

—¿Abrirá mañana el consulado?

—Mañana, sí, mañana —respondió apresuradamente.

La tal Sonia apenas aparentaba dieciocho años. Era de cuerpo menudo, con una carita pálida, ojos claros, cabello rubio, y no obstánte había en ella una fuerza tranquila, categórica, que azoraba al cónsul. La puerta había quedado entreabierta, y él dio dos pasos para ver cómo despedía a la gente.

Estaba muy erguida en medio del despacho, con la estilográfica en la mano, y hablaba en ruso, sin levantar la voz, con gestos que subrayaban su voluntad. Al ver que la mujer que estaba amamantando permanecía sentada en su rincón, fue hacia ella, separó al niño del pecho y ella misma le abrochó la blusa.

Aquellos pasos recordaban el ruido de un rebaño en marcha. Algunos visitantes se rezagaban mirando hacia atrás, con la esperanza de que en el último momento se cambiaría de opinión. Cuando por fin se cerró la puerta, quedó flotando en el aire un olor a miseria y a mugre.

A su regreso, Sonia encontró a Adil Bey sentado en su sillón, con los codos sobre la mesa y el desaliento en la mirada.

—¿Ha tomado el té? —preguntó la joven.

—¿Qué té? —y al no poder seguir conteniéndose, añadió—: ¿Dónde ha visto té en esta casa? ¿Dónde están los criados? ¿Dónde está el fonógrafo? ¿Dónde...?

Parecía ridículo hablar del fonógrafo, pero consideraba su desaparición como una prueba de mala voluntad respecto a él.

—Es verdad, los criados se han ido —dijo la secretaria.

—¿Por qué?

—Porque el señor Fikret los despidió.

—¿Que ha despedido a los criados? ¿Y con qué derecho? ¿Por qué razón?

Sonia no sonreía. Permanecía impasible, seria.

—Debía de tener sus motivos. Tal vez pueda encontrar usted otra criada.

—¿Cómo «tal vez»? ¿Quiere usted decir que es posible que me quede sin criados?

—No, confío en poder encontrárselos.

—¿Y entretanto?

—Es difícil. Podría comer en un restaurante cooperativo, pero...

La escuchaba como si su futuro dependiese únicamente de aquella joven.

—¿Tiene usted *valuta?* —preguntó ella.

—¿Que si tengo *qué?*

—*Valuta,* moneda extranjera. Si tiene, puedo ir a comprarle cualquier cosa en Torgsin. Es una tienda para extranjeros, y allí hay que pagar con moneda extranjera. Tienen todo lo que hay en las tiendas de Europa. Hay una en cada ciudad.

El ya había abierto su cartera, y sacó libras turcas que la joven miró frunciendo el ceño.

—No sé si las aceptan. Probaré.

—¿Cómo es eso? Se...

Pero calló. No iba a reiniciar la historia del consulado de Italia. Y sin embargo le ardían las orejas con la sola idea de que pudiesen rechazar libras turcas en una tienda en la que aceptaban moneda extranjera.

—¿Qué desea comer?

—Lo que quiera. No tengo hambre.

Era verdad. No tenía hambre. No tenía ganas de nada. O mejor dicho, sí: deseaba una explicación, pero con alguien responsable. Quería saber por qué Fikret se había llevado el fonógrafo y había despedido a los criados, por qué el cónsul de Persia le acompañó a la estación, por qué los italianos se mostraron tan hostiles con él, por qué los de enfrente permanecían en la ventana hasta las dos de la madrugada y por qué...

¡En resumen, todo! ¡Hasta sus libras turcas, que quizá le iban a rechazar!

—Estaré de vuelta dentro de una hora —dijo Sonia, encasquetándose un sombrerito negro y metiendo en su bolso los billetes de banco.

Ni siquiera le respondió. Al cabo de un instante se dirigió a la ventana para asomarse en el mismo momento en que una mujer con un delantal blanco salía de la cooperativa y colgaba un cartel en la puerta. No podía leerlo. Los que esperaban lo leyeron, se quedaron inmóviles como preguntándose si era verdad, igual que los visitantes que Adil Bey había despedido aquella mañana, y se fueron arrastrando los pies por la acera.

¿Qué es lo que faltaba, pan, patatas? A pesar del cartel, Sonia entró en la tienda al mismo tiempo que se abría la ventana del primer piso. La joven de amarillo ya estaba vestida. Seguía vistiendo de amarillo, pero esta vez se notaba que llevaba ropa interior y que se había peinado, además de ponerse carmín en los labios y de haberse arreglado las pestañas. A la luz, acababa de limpiarse las uñas cuando se volvió hacia la puerta y siguió con la mirada los movimientos de alguien que Adil Bey al principio no podía ver. Estaba hablando. Veía que sus labios se movían. Oyó el ruido de objetos que cambiaban de sitio. Luego, por un solo segundo, distinguió a Sonia atravesando un lugar visible al fondo de la habitación.

Eso fue todo. Un minuto más tarde, Sonia, embutida en su vestido negro, erguida, las caderas estrechas, andaba apresuradamente por la calle.

* * *

¿Qué otra cosa podía hacer Adil Bey? Abría su equipaje torpemente y buscaba un lugar para su ropa blanca y para todo lo que había traído. Pensándolo bien, el cónsul de Italia seguía siendo a quien más detestaba, y sólo se lo imaginaba arrellanado en su sillón, símbolo del bienestar y del sosiego, moviéndose un poco, o, casi mejor, estremeciéndose, antes de destilar frases venenosas.

Pero, ¿acaso la señora Amar era mejor que él?

Apenas acababa de pensar en ella cuando oyó pasos en el despacho. Con un montón de camisas en la mano, abrió la puerta.

Allí estaba la persa, sonriendo como una mujer que acaba de dar a alguien una sorpresa deliciosa. Le tendía la mano con un gesto de travesura. Le dijo:

—¡Buenos días! ¿Qué tal?

El dejó sus camisas sobre una silla y dio torpemente unos pasos.

—¿Sabe usted que es un tipo sensacional, Adil Bey? Es la primera vez que alguien les dice lo que merecen, y además con una habilidad formidable.

—Siéntese, por favor.

No sabía qué decir. Ella no se sentaba. Estaba inquieta, yendo y viniendo, cogiendo un objeto para dejarlo en otro sitio.

—¡Ella es la más insoportable de todos, con esos aires de gran señora! Y aún no conoce usted a su hija, que sólo tiene diez años, pero que es su vivo retrato.

Sólo parecía darse cuenta del vacío de las habitaciones.

—¿Ha cerrado el consulado? Para lo que se hace aquí sería mejor cerrarlo todos los días. Es lo que siempre le digo a Amar. Uno anda de cabeza, por ejemplo, para que le den el visado a un compatriota. Y cuando todo parece resuelto, en el último momento resulta que falta una firma de Moscú o algo por el estilo, y hay que volver a empezar. —Su mirada se posó sobre la ventana de enfrente, y exclamó—: ¡Vaya, Nadia se está acicalando!

—¿La conoce?

—Es la mujer del jefe de la GPU marítima, casi una compatriota, porque es de la frontera, y su madre era persa. Al principio, cuando la conocí, la invité a tomar el té. Ella aceptó, luego telefoneó para aplazar la visita. Telefoneó dos, tres veces. Ahora, cuando me cruzo con ella por la calle se limita a hacer un movimiento de cabeza. ¿Comprende?

—No.

—Somos extranjeros. Hablar con nosotros la compromete. Claro, usted es nuevo. ¡Ya verá! —No dejaba de moverse, subrayaba todas sus frases con muecas y sonrisas—. Ahora usted sólo puede hablar con nosotros. Ya que ha sido tan valiente de cerrarse la puerta de los italianos... ¿Lo lamenta?

—En absoluto.

Pero temía a aquella mujer. Desplazaba demasiado aire. Se agitaba, hablaba. ¡Y además no le gustaba aquella manera insistente que tenía de mirarle!

—¿Sabe por qué he venido tan temprano?

—No.

—Es usted adorable en su falta de delicadeza. Pues bien, he venido para ayudarle a instalarse. Ya sé lo que es un soltero. La mejor prueba: estas camisas sobre una silla de despacho... —sin admitir réplica las cogió y entró en el dormitorio—. No puede compararse con la casa de los Pendelli, ¿verdad? Han hecho instalar dos cuartos de baño. ¿Por qué no tres?

Se quitó el sombrero y, como llevaba un vestido sin mangas, al levantar los brazos se le vieron las axilas.

—Si quiere hacerme caso, lo primero que hay que hacer es poner cortinas. ¡Sobre todo con esos vecinos de enfrente!

Adil Bey se volvió hacia la ventana. La joven de amarillo seguía haciéndose la manicura. La señora Amar le dirigió un profundo saludo, y ella esbozó un movimiento de cabeza tan leve que casi podía dudarse de que fuese voluntario.

Unos instantes después, cuando Adil Bey se volvió de nuevo, la ventana estaba cerrada.

—Tiene usted camisas muy bonitas. ¿Son de Estambul?

—Las compré en Viena.

Se oyeron pasos en el vestíbulo. Adil Bey abrió la puerta y vio a Sonia cargada de paquetes.

—He comprado alcohol para el infiernillo —dijo.

En aquel mismo momento la joven notó el perfume de la persa, y miró a su alrededor frunciendo las cejas mientras el cónsul enrojecía.

Sonia tenía que atravesar la habitación para ir a la cocina, que estaba al fondo del piso. Vio a la señora Amar inclinada sobre las maletas abiertas. Poco después se la oyó trajinar con platos y fuentes.

—¿Tiene mucha confianza con ella?

—Como los criados se han ido, me ha propuesto...

La señora Amar le cogió por la manga, le condujo sin hacer ruido hasta el despacho y allí cerró la puerta.

—¿Ya sabe quién es? —le murmuró al oído, y señaló la casa de enfrente—. Es la hermana de Kolin, el jefe de la GPU marítima. ¿Y sabe usted de qué murió su predecesor? No lo sabe nadie. Murió en pocas horas, y sin embargo nunca había estado enfermo.

Sin duda palideció intensamente, porque ella se echó a reír, y con un gesto amistoso le puso ambas manos sobre los hombros.

—Ya se acostumbrará, seguro. Pero hay que andar con cuidado en todo lo que se dice, en todo lo que se hace.

Un timbre que Adil Bey aún no conocía resonó en el piso. Se abrió una puerta y Sonia se dispuso a descolgar el teléfono.

—Cójalo usted —dijo la señora Amar al cónsul.

Descolgó el aparato y trató en vano de comprender. Las dos mujeres estaban de pie junto a él.

—Hablan ruso —suspiró, alargando el auricular.

La señora Amar fue la más rápida. Dijo unas palabras en ruso mientras Sonia daba un paso hacia atrás.

—Le pasan una llamada del cónsul de Tiflis. Ahora hablarán turco...

Adil Bey volvió a ponerse al teléfono y exclamó en su lengua con una alegría infantil:

—¡Oiga! ¡Sí, le escucho! ¿Es el cónsul de Turquía?

Se oía mal. La voz era lejana, entrecortada por crepitaciones. Por fin entendió lo que le estaban diciendo:

—Oiga... Tengo que comunicarle que Fikret Effendi ha sido detenido a su llegada a Tiflis...

—¡Oiga! ¿Qué dice? Quisiera saber...

Pero ya habían colgado y sólo se oía una voz que volvía a hablar en ruso.

Adil Bey, vacilante, se volvió hacia las dos mujeres. Sonia le miraba con indiferencia, como una secretaria que espera órdenes. En cambio, la persa parecía darlas con su mirada insistente, como si dijera:

—¡Recuerde lo que le he dicho: dígale que se vaya!

—Puede seguir con su trabajo —suspiró Adil Bey—. No es nada.

—¿Le apetecen los huevos?

—Lo que quiera.

Esperaron a que se cerrase la puerta de la cocina.

—No comprendo nada —suspiró entonces—. Era Tiflis anunciándome que Fikret ha sido detenido.

Ella se puso a tamborilear con los dedos rabiosamente.

—He preguntado detalles, pero ya habían colgado. ¿Qué puedo hacer?

La mujer estaba más azorada que él. Descolgó el teléfono, pero en el momento de hablar cambió de opinión y dejó el auricular.

—¿Cree usted que una gestión oficial con las autoridades...?

—No se puede hacer ninguna gestión —respondió ella secamente.

Ya no se ocupaba de él. Reflexionaba, con las facciones tensas, y eso bastaba para que casi pareciese fea.

—¿Sabe usted si le han confiscado el equipaje?

—No me han dicho nada. Ni siquiera me han escuchado.

—¡Demonio!

—¿Por qué demonio?

—Por nada. ¡Cuando pienso que le confiamos tres magníficos samovares de plata!

Adil Bey lo entendía cada vez menos.

—¡No se quede mirándome así! —se impacientó ella—. ¡Sí, tres samovares! Aún pueden encontrarse, bien ocultos en las casas de campo, y se pueden comprar por un pedazo de pan, nunca mejor dicho, porque se paga en harina. Ese imbécil de Fikret se comprometió a llevarlos a Persia. Tengo que avisar a mi marido.

Buscó su sombrero, recordó que lo había abandonado en el cuarto, y allí vio las maletas empezadas a deshacer. Enseguida cambió de actitud, pareció olvidar sus preocupaciones, tendió las dos manos y aprisionó las de Adil Bey con las suyas.

—¿Me guarda rencor?

—¿Por qué?

—Porque le dejo de esta manera. Estoy segura de que llegaremos a ser buenos amigos, muy buenos amigos...

Sus nerviosas manos seguían apretando las manos del hombre, y la presión se hacía más insistente.

—¿Quiere usted?

El dijo que sí porque no quería decir otra cosa, y en aquel instante los labios de la persa rozaron sus labios.

—¡Chitón! No se moleste en acompañarme...

*   *   *

Entró en la cocina con la cabeza gacha, oyó el crepitar de los huevos en la sartén. Sonia llevaba puesto el sombrero y tenía el bolso en la mano.

—Encontrará en el armario todo lo que necesite. Pero en la casa no hay ni manteles ni servilletas ni sábanas.

—¿Sabe si antes había?

—Desde luego.

—¿De quién eran?

—No lo sé. Puede comprar en Torgsin. Me voy a almorzar. ¿A qué hora quiere que vuelva?

¿Acaso lo sabía?

—¿A qué hora suele volver?

—A las tres.

No la miraba de frente, sino que le dirigía miradas oblicuas.

—¿Qué edad tiene?

—Veinte años.

—¿Es de aquí?

—De Moscú.

—¿Dónde aprendió turco?

Con la misma sencillez, ella respondió:

—Antes de la Revolución mi padre trabajada como portero en la embajada de Turquía. Se le van a quemar los huevos. Ya es hora de que me vaya.

Aquel almuerzo le recordó la guerra, pero sin la atmósfera de la guerra. Se sentó a solas ante una mesita de madera sin pintar, comió los huevos en la misma sartén, abrió una lata de atún y bebió una botella de cerveza.

No tenía hambre. Comía por comer y, como era forzoso que su mirada se posase en algún sitio, contempló la ventana de enfrente, que no se abría. Como máximo adivinaba una sombra, tal vez dos, moviéndose detrás de las cortinas de muselina.

La calle estaba desierta. Hacía calor. Adil Bey tenía ganas de dormir o de hacer cualquier cosa, pero nada concreto, ni siquiera despejar la mesa a la que seguía acodado, con la cabeza entre las manos.

3

Adil Bey y Sonia se deslizaron por entre las docenas de hombres que acampaban a lo largo de la escalera, atravesaron habitaciones tan llenas de gente que acababan formando una materia anónima, y al final de un pasillo empujaron una puerta.

Era la tercera vez que iban juntos al negociado de extranjeros. Al igual que las dos veces anteriores, el cónsul llevaba la cartera de cuero negro que su secretaria le cogió en el momento de trabajar.

Adil Bey ya se había acostumbrado a todo aquello. Tendió la mano al hombre que llevaba una camisa rusa, con la cabeza rapada, que se sentaba ante una mesa llena de expedientes, y luego se inclinó ante una mujer que ocupaba otra mesa de despacho.

Era un día muy claro y caluroso. En las encaladas paredes se veían estantes de madera de abeto. Sonia, sentada en el extremo de la mesa, abrió la cartera que tenía ante sí.

El ambiente era sencillo y cordial. Adil Bey estaba sentado en una silla con asiento de paja, cerca de la ventana.

—Primero pregúntele por el armenio cuyo expediente le entregué el día de nuestra primera visita.

El jefe de la oficina de extranjeros no hablaba ni turco ni francés. Tendría unos cuarenta años, y su cráneo pelado y su camisa a lo Tolstói le daban un aspecto ascético acentuado por una sonrisa muy leve, muy sutil, y la tranquila mirada de sus ojos azules.

Cuando Adil Bey hablaba, él se le quedaba mirando con una sonrisa, como si le diese la razón, aunque no le comprendía.

Sonia repitió la frase en ruso. El hombre bebió un sorbo de té, del que siempre tenía un vaso lleno al alcance de la mano, y luego pronunció cuatro o cinco palabras.

—Espera recibir órdenes de Moscú —tradujo Sonia.

—¡Hace quince días que estas órdenes tienen que llegar por telégrafo!

Sonia, sin despegar los labios, puso cara de que ella no podía hacer nada, que había que esperar.

—¿Y la mujer a la que han confiscado los muebles?

Cuando no se hablaba en ruso, el funcionario tan pronto miraba a Adil Bey como los expedientes que le había llevado la secretaria, y su rostro expresaba una paciencia infinita, una benevolencia sin límites.

—Sería mejor hablarle primero de nuevos asuntos —aconsejó Sonia.

—Bueno, pues pregúntele por qué anteayer detuvieron a aquel pobre hombre que salía del consulado.

Y Adil Bey observó con más atención que de costumbre, como si hubiese sido capaz de adivinar si ella traducía o no exactamente lo que acababa de decir.

—¿Qué contesta?

—Que nunca ha oído hablar de eso.

—Seguro que otros sí han oído hablar del caso. Que se informe.

Adil Bey se ponía agresivo. Mañanas enteras sentado ante su mesa de despacho, delante de Sonia, que no dejaba de tomar notas, había estado estudiando a sus visitantes, mientras oía las monótonas quejas de la persona que le hablaba.

Aquellas gentes eran las mismas que, cerca del puerto pesquero, pululaban entre el polvo. Las mismas que podían verse en el barco de Odessa, hacinadas en el puente, con la cabeza apoyada en su paquete de andrajos, o instaladas durante días y días en el andén de la estación esperando poder tomar el tren.

—*Kulaks* —decía Sonia con fría indiferencia.

¡Campesinos! Venían de lejos, a veces del Turquestán, porque les habían dicho que en Batum encontrarían pan y trabajo. Vagaban por las calles días enteros, hasta que otro *kulak* les decía que en el consulado turco podían ayudarles.

—¿Eres súbdito turco?

—No lo sé.

Muchos habían sido turcos antes de la guerra, luego se habían convertido en rusos sin que se enteraran.

—¿Qué quieres?

—No lo sé. No nos dan ni pan ni trabajo.

—¿Te gustaría volver a Turquía?

—¿Se puede comer allí?

Algunos habían perdido a uno o dos hijos por el camino, y pedían al cónsul que se informase. O en una estación un funcionario les había quitado todo lo que tenían, y les había metido en la cárcel varios días.

No sabían por qué. Y ni siquiera lo preguntaban. Pero reclamaban sus pobres ropas con mansa obstinación.

Para los que eran verdaderamente de nacionalidad turca Adil Bey abría un expediente que luego presentaba acompañado de Sonia en la oficina de extranjeros, y el funcionario de la camisa bordada les acogía siempre con la misma sonrisa.

—¿Qué dice?

El hombre hablaba sosegadamente, mirándose las manos de sucias uñas.

Dos días atrás, un matrimonio de campesinos salió del consulado, y unos instantes después la mujer volvió sola, fuera de sí, contando que en la esquina unos agentes con gorra verde se habían llevado a su marido, y a ella la habían golpeado para impedir que le siguiera.

—Dice —recitó Sonia— que hará todo lo que pueda para responderle en su próxima visita.

—¡Pero es que esa mujer no tiene ni un rublo! Su marido llevaba en el bolsillo toda la fortuna de los dos.

—¿Cómo habían ganado esta fortuna?

—No es una gran cantidad. La mujer carece de recursos.

—¡Que trabaje!

—Nadie le da trabajo. Duerme en un portal.

El funcionario hizo un vago ademán y pronunció unas palabras.

—¿Qué contesta?

Y Sonia, indiferente:

—Que no es de su negociado. Que mandará una nota.

—Puede telefonear a la GPU.

El aparato estaba sobre su escritorio.

—El teléfono no funciona.

El hombre bebió un sorbo de té.

Adil Bey estaba tentado de levantarse y salir. El sol le abrasaba la espalda. Todo en aquel despacho era inmóvil, de una inmovilidad voluntaria que pesaba sobre los hombros.

Aquello duraba desde hacía tres semanas. Al menos había presentado cincuenta expedientes, con el mismo resultado que si los hubiese arrojado al fuego. Se los aceptaban sonriendo. Le darían la respuesta al cabo de unos días.

—Esperamos órdenes de Moscú.

Alguien entró en el despacho, y el funcionario, arrellanado en su silla, esbozó un lento diálogo. Sonia no se impacientaba. Siempre era la misma, aquí o en el consulado, siempre con su vestido negro, con su sombrerito, sus cabellos rubios, su aire de buena chica.

En la otra mesa la oficinista echaba cuentas con la ayuda de un ábaco, interrumpiéndose de vez en cuando para beber también un sorbo de té.

El visitante se fue. Sonia tendió sus expedientes uno tras otro, dedicando una frase a cada uno.

—No se olvide de decirle que es urgente —suspiró Adil Bey sin esperanzas.

—Ya se lo he dicho. El camarada director asegura que esto irá aprisa.

—¿Aún no me ha encontrado una criada?

Porque Adil Bey todavía no contaba con nadie que se ocupase de su casa.

—¿Qué ha contestado?

—Que la sigue buscando.

—Pero, vamos a ver, ¡por la calle sólo se ve a gente que pide limosna!

—Es que no quieren trabajar.

—¿Y si les dijera que estoy dispuesto a pagar bien?

—Sin duda ya se lo han dicho.

—Pero tradúzcale...

Sonia lo hizo con desgana, y el funcionario se encogió de hombros con aire de impotencia.

—¡Es incomprensible que en una ciudad de treinta mil habitantes no se pueda encontrar a alguien para servir en mi casa!

—Seguro que lo acabará encontrando.

—Pregúntele también por qué el fonógrafo que pedí a Estambul ha llegado ya, pero sin los discos.

El director debió de comprender la palabra fonógrafo, porque respondió inmediatamente en tres o cuatro palabras.

—¿Qué ha dicho?

—Que han tenido que enviarlos a Moscú, porque entre ellos había discos españoles.

—¿Y qué?

—En nuestras oficinas de Batum no hay nadie que hable este idioma.

Adil Bey se puso en pie, apretando los dientes, y tuvo que hacer un esfuerzo para tender la mano a su interlocutor.

—Venga —dijo a su secretaria.

En los pasillos hubo que pasar por encima de los que dormían esperando su turno para ser recibidos en alguno de aquellos despachos. Eran como montones de andrajos intercambiables desparramados por el suelo, y ni siquiera se oía un gruñido cuando el pie tropezaba con el montón.

Anduvieron por la calle uno al lado del otro, pero Adil Bey se olvidó de llevar la cartera de mano. Era la hora más sofocante. El calor se estancaba entre las montañas, y del mar Negro no soplaba la menor brisa.

Delante del consulado de Italia estaba estacionado un bonito coche que pertenecía al cónsul, y que aún atraía más la atención por el hecho de que sólo hubiera tres coches en la ciudad. En el primer piso, en la parte de sombra de la terraza, la señora Pendelli, con su salto de cama, hacía de maestra a su hija. Se veían los cuadernos blancos, el tintero y unas limonadas heladas sobre la mesa de rota.

—¿Cree usted que los italianos consiguen más cosas que yo? —preguntó Adil Bey en un tono suspicaz.

—No veo por qué.

Siempre era igual: ¡respuestas de una lógica aplastante, pero que no respondían a nada!

Había poca gente por las calles, ni una tienda, nada de ese tránsito que hace que una ciudad sea una ciudad.

Tiempo atrás aquellas callejas debían de hormiguear

de gente, como Estambul, como Samsun o Trebisonda, como todas las ciudades orientales. Se veían aún los tenduchos, pero vacíos, con los postigos cerrados o los cristales rotos. Podían leerse carteles medio borrados, no sólo en ruso, sino también en armenio, en turco, en georgiano y en hebreo.

¿Dónde estaban los espetones de corderos que giraban crepitando a la puerta de los restaurantes? ¿Y los yunques de los herreros, los mostradores de los cambistas?

¿Y hasta aquellas gentes vestidas con ropas tan diversas, que antaño debían de parar a los viandantes para ofrecerles sus mercancías?

Se veían sombras deslizándose, lentas y resignadas, por el sol, o bien se adivinaban sombras tendidas bajo los porches.

Batum era ya solamente el puerto, unos cuantos barcos extranjeros apiñados en torno a los oleoductos que, cerca de la montaña, traían a través del Cáucaso el petróleo de Bakú. Y también la estatua de Lenin, que, aun siendo de tamaño natural, parecía la de un hombrecillo. Además de la gran casa de los sindicatos y los clubs.

Sonia andaba sin despegar los labios, sin mirar a su alrededor. No mostró impaciencia cuando Adil Bey se detuvo junto a una anciana que estaba sentada en el bordillo de la acera, hurgaba en un cubo de basura y comía lo que encontraba en él. Tenía las piernas hinchadas, y grandes mejillas fofas y blancuzcas.

—¿No le dan de comer? —preguntó el cónsul, que estaba irritado con su secretaria.

—A todos los que trabajan no les falta qué comer.

—Entonces, ¿cómo se explica...?

—No hay trabajo para todo el mundo —contestó ella impasible.

—¿Y si no puede trabajar?

—Existen asilos.

Recitaba estas frases con voz monótona. Siempre era lo mismo. Cuando Adil Bey hacía una pregunta, existía una respuesta a punto, pero eran respuestas tan vacías que tenía la sensación de estar vagando por un mundo inconsistente.

—¿Qué quiere para cenar, Adil Bey?

Estaban ya muy cerca del consulado. Como no encontraban criada, Sonia había adquirido la costumbre de comprar todos los días la comida del cónsul.

—Lo que quiera. A propósito, diga al médico que venga a verme.

—¿Está enfermo?

Adil Bey quiso contestar como solía hacerlo ella.

—Si llamo al médico lo más verosímil es que no me encuentre bien.

Y se adentró bajo la bóveda. Tal vez no estuviera enfermo. Tampoco se sentía bien. Lo cierto es que le bastaba empujar la puerta de su piso para tener náuseas. El recibidor y el despacho apestaban. Dos veces, muy de mañana, se había puesto a limpiar el parqué con abundante agua, pero cuando quiso llenar un cubo en el grifo común que estaba en el rellano, varias personas se lo impidieron diciendo algo en ruso.

Porque siempre había gente en torno al grifo. Los vecinos no se lavaban en sus casas, sino en el corredor, y eran numerosísimos. Algunas habitaciones debían de estar ocupadas por diez personas.

Adil Bey entró en su cuarto. Miró frente a sí por inercia. La ventana estaba abierta. Kolin, que acababa de entrar, había arrojado su gorra verde sobre la cama, y estaba comiendo con su mujer. Sobre la mesa había rebanadas de pan negro, manzanas, té y azúcar.

«¡Con tal de que sea el mismo médico!», deseó Adil Bey. Quería conocer al médico que atendió a su predecesor. No tenía apetito. Las conservas que tragaba en la soledad de la cocina le producían ardor de estómago. Por otra parte, aunque Sonia le preparaba las comidas, nunca lavaba las tazas ni los platos, ni ordenaba su dormitorio.

Ya estaba de vuelta, con unos paquetitos en la mano. Debió de ver a su hermano y a su cuñada que almorzaban, y el pan negro, las tres manzanas y el té. Abrió una lata de langosta, depositó en un plato unos arenques ahumados y en otro un pedazo de queso.

Todo eso, ¿no la tentaba? ¿No envidiaba a Adil Bey, que iba a sentarse a la mesa solo ante todas aquellas vituallas? ¡El ni siquiera tenía hambre! La miraba ir y venir. Alguna vez se había preguntado si durante su ausencia Sonia no saqueaba el aparador. Lo cierto es que le daba lo mismo. ¡Pero no era así! Más bien dejaba que la comida se estropease. Había cosas que se pudrían, que luego se tiraban y que unas viejas debían de devorar en los cubos de la basura.

—¿Vendrá el médico?

—Dentro de unos minutos.

¿Qué pensaba Sonia de él? De vez en cuando la sorprendía mirándole, pero era la misma mirada neutra que la muchacha concedía a todas las cosas.

—Puede irse a almorzar.

Sabía que iba a verla entrar en el cuarto, al otro lado de la calle, quitarse el sombrero y sentarse de espaldas a la ventana. Era su sitio.

¿Hablaba de él? ¿Contaba lo que había dicho o había hecho? En cualquier caso, los otros dos no parecían sostener una conversación apasionante. Comían lentamente, bocado tras bocado. Kolin se metía azúcar en la boca antes de beber el té ardiendo. Luego se acodaba a la ventana durante un cuarto de hora, y las mangas de su camisa formaban una mancha reluciente bajo el sol, que hacia la una de la tarde daba de lleno en su fachada.

¿Tenía otras distracciones? A veces, al caer la tarde

salía con su mujer, que siempre llevaba el mismo vestido amarillo, como Sonia llevaba siempre su vestido negro. Pero a las doce estaban en la ventana, tomando el fresco sin hablar. No encendían la lámpara para desvestirse.

¿Era por la joven, que ya se había acostado? Porque se acostaba temprano, y también a oscuras. Por la mañana, cuando abrían las ventanas, ya estaba a punto de salir, con el sombrero puesto y la cama hecha. En el cuarto sólo quedaba su cuñada, en ropa interior, y a veces hasta volvía a acostarse para leer en la cama parte de la mañana.

—¡Adelante!

Era el médico. Dejó el maletín y la gorra encima de la mesa y se volvió hacia Adil Bey con aire de interrogación.

—¿Habla francés?

—Un poco.

—No me encuentro bien. Tengo náuseas, he perdido el apetito, no duermo.

Decía todo esto con adustez, como si hiciera responsable al médico.

—Quítese la ropa.

Habían empezado mal. Adil Bey había esperado charlar, tranquilizarse, conseguir informaciones, y, sin ningún motivo, se hablaban ya como adversarios.

A causa de la ventana, fue hacia la parte más oscura del cuarto y se quitó la chaqueta.

—La camisa también.

El médico miraba con indiferencia la carne blancuzca, el torso ya con un poco de grasa, los hombros caídos.

—¿Ha tenido alguna enfermedad?

—Ninguna.

—Respire... Tosa... Respire...

Adil Bey seguía viendo la espalda de Sonia, el perfil de su hermano, la pesada cabellera negra de la georgiana.

—Siéntese.

Era para comprobar los reflejos de las rodillas. Luego el médico le tomó la tensión arterial, mientras Adil Bey sentía hincharse su brazo dentro del aparato.

—¿De qué murió mi colega? —preguntó con una voz tan natural como le fue posible.

—Lo he olvidado. Tendría que consultar mis fichas.

Y el médico le miraba preguntándose qué más podía examinarle.

—Tiéndase.

Auscultó el bazo, el hígado. Había terminado. Puso orden dentro de su maletín.

—¿Y bien?

—Está usted nervioso, deprimido, tome un poco de bromuro antes de acostarse.

—¿Dónde puedo comprarlo?

—Es mejor pedirlo a Moscú. Comidas ligeras.

—¿Qué es lo que no funciona?

—Nada... Y un poco todo...

Se disponía a irse, indiferente a Adil Bey, que le perseguía desnudo de cintura para arriba, con los tirantes sobre los muslos.

—¿Le parece que es grave?

—Nunca se sabe. En cuanto al bromuro, como usted es extranjero, quizá llegue antes si consigue que se lo traigan en barco. Aquí los medicamentos escasean.

Adil Bey hubiera querido preguntarle si no tenía nada en el corazón, pero ya era demasiado tarde. El médico estaba en el rellano. Sonó el timbre del teléfono, y al cónsul le pareció que la espalda de Sonia, al otro lado de la calle, se estremecía.

—Diga, sí, soy yo.

Era la señora Amar, que telefoneaba casi todos los días, pero a quien Adil Bey sólo había vuelto a ver una vez, en la playa, cuando ella se dirigía a la zona de las mujeres.

Antes de ir a Rusia, sabía que en aquel país la gente se bañaba desnuda, y había imaginado un tumulto de cuerpos bronceados bajo el sol y en medio del deslumbramiento de las olas.

Pero en aquella inmensa playa de guijarros había dos cercados defendidos por alambre de espino que hacían pensar en campos de concentración. La entrada costaba 25 kopeks, y los hombres y las mujeres quedaban así completamente separados.

—¡Le he sorprendido rondando por aquí! —le dijo Nejla Amar con su voz demasiado vibrante.

Y a decir verdad, había rodeado las alambradas un poco más tarde, con aire falsamente preocupado, tratando de distinguirla. Ahora, al teléfono, estaba muy zalamera:

—Adivine qué buena noticia tengo que darle.

—Pues no sé.

—¡Adivínelo!

—¿Que mi gobierno me destina a Ankara?

—¡No sea malo! Esta mañana Amar se ha ido a Teherán y no volverá hasta dentro de diez días.

—¡Ah!

—¿Esto es todo lo que se le ocurre?

—No lo sabía.

Adil Bey seguía desnudo de medio cuerpo.

—Siendo así, no iré a tomar el té con usted como pensaba hacerlo.

—¡Se lo ruego!

—¿Sí? No estoy muy segura. ¡Sobre todo si corro el peligro de tropezarme con su ángel de la guarda!

—Le prometo que...

—¿Me promete que no estará? En este caso, tal vez.

Se oyó un ruido desagradable que debía de ser un beso. Kolin, en la casa de enfrente, se asomaba a la ventana, y el humo de su cigarrillo ascendía verticalmente en el aire inmóvil.

Hacia las once de la noche, cuando el jefe de la GPU marítima, es decir, de la policía del puerto, abrió su ventana al volver del club, la ventana del consulado también estaba abierta, y en el alféizar se veía acodada una sombra de color claro.

Kolin volvió a sumergirse por un instante en la oscuridad de su cuarto para quitarse los zapatos y ponerse unas zapatillas, y también para coger un paquete de cigarrillos de su chaqueta.

Enfrente, Adil Bey no se movía. Estaba envuelto por la sombra y sentía el frío de la piedra a lo largo de los brazos, a través del fino tejido de la camisa.

Por la calle no pasaba nadie, pero se oyeron pasos muy lejanos, a varias calles de distancia. Hasta se adivinaba, porque soplaba viento del noroeste, la música del bar instalado en el muelle para los marinos extranjeros.

Kolin encendió un cigarrillo, y Adil Bey siguió con los ojos el bailoteo de la llamita. Un poco más tarde la georgiana fue a acodarse cerca de su marido, y durante unos instantes hubo una conversación que apenas fue un murmullo.

¿Es que Sonia dormía en su cama de hierro, que, aun sin haberla visto, Adil Bey sabía que estaba adosada a la pared de la derecha?

El aire era suave, dulzón, sin duda por haber rozado la vegetación tropical de las montañas. La mujer se apelotonaba contra Kolin, y podía adivinarse que su cuerpo también era suave, todavía caliente al salir de la cama en la que había estado esperando.

Se oyó un ruido detrás de Adil Bey, que giró la cabeza. Era Nejla Amar, que con un suspiro apartaba la colcha y cambiaba de postura.

El aire de la alcoba estaba tan impregnado de su perfume que a veces Adil Bey se preguntaba si los de enfrente no percibían su vaharada. Era un perfume violento que la persa había debido de elegir porque su carne despedía un olor penetrante.

—Ven a acostarte —suspiró medio adormilada.

¿Les oían los de enfrente? Estaban muy cerca. La calle no era ancha. Kolin pasaba un brazo alrededor de la cintura de su mujer.

Adil Bey no tenía ganas de dormir, ni siquiera de acostarse junto al cuerpo ardiente de Nejla. Ni tan sólo pensaba en ella. Se preguntaba si detrás de la pareja de enfrente Sonia estaba dormida, y si su rostro seguía siendo tan impasible en el sueño. ¿Había adivinado la verdad cuando a primera hora de la tarde Adil Bey le dijo que podía irse de paseo? Poco después salía con una bata al brazo, pero en la esquina de la calle se había cruzado con la señora Amar.

—¡Ven, Adil!

—¡Chist!

No quería cerrar la ventana, porque se ahogaba. Desde que le habían tomado la tensión sentía latir la sangre en sus arterias, y aquel martilleo continuo le asustaba.

No había comido. Estaba enfermo. Se lo había dicho a Nejla cuando llegó, y durante cinco minutos ella había jugado a cuidarle.

¡Ojalá ella hubiese aceptado volver a su casa! ¿No era capaz su criada de contárselo todo al marido cuando regresase?

—¿Es celoso?

—¡Como un tigre! —respondió entre risas.

Nejla reía sin cesar, con una risa nerviosa, de dientes afuera, y uno no podía saber si era de alegría o de excitación, o si lo que quería era provocar.

¿Por qué se había quedado? E incluso ¿por qué había ido a su casa? Dos veces ella había girado el conmutador para encender la luz, y Adil Bey había tenido que forcejear para apagarla. ¡Luchar de veras! ¡Hasta retorcerle la muñeca!

—¡Le tienes miedo a tu espía! —se burlaba—. ¡Eres un mal bicho, pero me gustas!

Adil Bey, que tenía horror al tabaco, casi sentía deseos de fumar al contemplar el punto rojo del cigarrillo frente a él, porque era como un símbolo de paz voluptuosa. Se anunciaba una tormenta, estaba seguro, tal vez incluso antes de que acabara la noche, pero era precisamente su amenaza lo que daba atractivo a aquella ensoñación en la ventana.

Adil Bey ya no oía la respiración regular de Nejla. Había dejado de pensar. Era el estado ideal. Acababa de aniquilarse en la noche. No miraba nada concreto.

De repente, algo rodeó su cuello, rozándole de pies a cabeza.

Se sobresaltó, pestañeó tres o cuatro veces antes de recobrar la sangre fría. Era la persa que se había pegado a él, como hacían los de enfrente, y que le murmuraba con un cigarrillo entre los labios:

—Dame fuego.

No tenía cerillas. Ni siquiera sabía si quería darle fuego. Los Kolin no se movían. Sus ojos no podían verse, pero seguro que les miraban y tal vez distinguían el pecho semidesnudo de Nejla. Claro que ella tenía la piel oscura como una avellana. Su carne era tan dura que apoyaba su pecho sin deformarlo en el marco de la ventana.

—Dame fuego.

Fue a buscar las cerillas que había sobre la mesa. Se vio bailotear una llamita, como antes al otro lado de la calle. Se acodaron como la otra pareja.

Pasó el tiempo. La música del bar dejó de oírse, no hubo más pasos en la ciudad.

Tal vez hacía una hora que estaban allí cuando gruesas gotas de lluvia atravesaron el espacio y fueron a aplastarse en el suelo. Sólo entonces los Kolin retrocedieron. Su ventana se cerró. Una gota de agua estalló sobre el brazo de Nejla, que suspiró:

—¿No te divierte pensar que son de la GPU?

Ya sólo se veía la ventana oscura, sobre la cual las cortinas dibujaban una pálida filigrana.

4

La primera vez que la vio, siguiendo el curso despreocupado del gentío, Sonia iba del brazo de dos amigas, una vestida de blanco, otra de azul celeste, sin medias y con el cabello suelto. Tal vez Sonia las avisó con una presión de los dedos, porque a diez metros de distancia, ellas le miraron, no riendo, como solían hacer las demás, sino con una grave curiosidad.

Adil Bey pasó de largo y no se atrevió a volver la cabeza. Apenas había dejado de llover, coincidiendo con la puesta de sol que tornasolaba los charcos. Igual que todas las tardes, todo el mundo estaba en la calle, yendo y viniendo a lo largo del muelle, de modo que al cabo de pocos minutos volvían a verse las mismas caras. También estaba allí el joven de la bicicleta, sorteando los grupos, con la misma muchacha montada sobre el cuadro.

Cuando volvió a ver de lejos a Sonia y a sus compañeras, Adil Bey se preguntó si estaban hablando de él. Aún no había llegado a su altura cuando un joven con el cuello de la camisa abierto se acercó a ellas y les dio la mano.

Los cuatro formaron así una isla en medio de la multitud que seguía su camino. Adil Bey no podía detenerse. Pasó de largo. Desde lejos volvió a ver la isla en el mismo lugar. El joven se reía. Se dirigía a Sonia más que a las otras dos.

Tal vez la víspera Adil Bey no se hubiera preocupado por ella, pero aquella misma mañana había pasado algo, algo insignificante y que sin embargo dejaba huella.

Hacia las ocho, cuando Nejla Amar abrió los ojos ante la ventana que chorreaba lluvia, se limitó a suspirar:

—Hazme café.

Adil Bey, impaciente, obedeció. Mirando una y otra vez su reloj, esperó hasta el final.

¡En vano! A las nueve llegó Sonia, y la persa aún seguía allí, dispuesta a dormirse de nuevo. Como de costumbre, la secretaria traía vituallas que quiso dejar en la cocina.

Adil Bey, rehuyendo su mirada, tuvo que cerrarle el paso.

—Démelo. Yo mismo lo llevaré.

Había vivido toda aquella mañana bajo el signo de la torpeza y de la inquietud. Mientras escuchaba a sus visitantes, no dejaba de estar pendiente de los ruidos de la alcoba y buscaba pretextos para ir allí.

—¿No tienes nada que leer?

Nejla continuaba en la cama, cálida y perezosa. No hablaba de irse. En el despacho, un extraño hombrecillo barbudo, mugriento, lleno de cicatrices, contaba pacientemente su historia, que Sonia era la única en seguir con atención.

Era un turco, un verdadero turco nacido en Escutari. Durante la guerra cayó prisionero de los rusos, le llevaron a Siberia, y allí, como los demás, mezclado con los campesinos, trabajó en la estepa. Se casó. Tenía una hija de diecisiete años. Y ahora de pronto, después de tanto tiempo, había emprendido el viaje de regreso, sin dinero, sin documentación. Estaba de pie delante de Adil Bey y repetía obstinadamente:

—Quiero volver a mi casa. Quiero volver a ver a mi primera mujer y a mis otros hijos.

No había quien le sacara de ahí. Se enfadaba cuando le decían que iba a ser largo, quizás imposible. Por fin fue Sonia la que, con impaciencia, consiguió que se fuera.

Los aguaceros no cesaban. Como siempre en Batum, eran una sucesión de lluvias tropicales, de verdaderas oleadas de agua que caían sobre la ciudad haciendo intransitables las calles.

—Tiene usted que irse —decía sin embargo Adil Bey a Nejla.

Era una obsesión. Le dominaba la angustia sólo por saber que estaba en su cama.

—Verá. Haré que mi secretaria tenga que salir, y aprovechando la ocasión...

A las doce dijo a Sonia:

—Eche esta carta al correo.

Ella le miró, se levantó sin decir nada, se puso el sombrero y metió la carta en su bolso. Cuando regresó, un cuarto de hora después, Adil Bey salía del dormitorio y la vio empapada, con la ropa pegada al cuerpo como las plumas de un pájaro, los cabellos tiesos.

La joven volvió a mirarle, sin rencor. Y en aquel mismo momento, mientras él pensaba que tenía que decirle algo, se abrió la puerta y apareció la señora Amar, despeinada, preguntando:

—¿Dónde está el peine, Adil?

¿No lo hizo adrede? ¡Sonia ni siquiera sonrió! Se sentó en su silla y volvió a su trabajo.

Eso fue todo. Ahora, después de dar media vuelta cerca del Lenin de la bola del mundo, Adil Bey buscaba al grupo con los ojos. Ya no estaba en el mismo lugar. Pero más lejos vio a las compañeras de Sonia con dos jóvenes.

El sol se apagaba en los charcos y en el charco inmenso del mar. Comenzaba el jazz en el bar de los extranjeros donde Adil Bey aún no había puesto los pies.

—¿Es interesante? —había preguntado a su secretaria, quien respondió con una mueca de desdén.

Era la tercera vez que recorría el muelle sin verla. Por casualidad volvió la cabeza hacia el gran edificio de los sindicatos y de los clubs, y la vio sentada en una ventana del primer piso, frente a aquel joven.

Desde aquella altura la pareja dominaba el gentío y la bahía. Eso podía verse en los ojos de Sonia, que eran muy claros, y que paseaban por el espacio una vaga mirada. El hombre le hablaba, inclinándose un poco hacia adelante, y sin duda ella le escuchaba, pero sin verle, tal vez incluso sin oír las palabras, dejando que en su rostro apareciera una sutil expresión de bienestar.

En la rada había cargueros que balanceaban las largas manchas rojas de su minio. La noche anterior haría atracado un velero griego, y sus tres mástiles se recortaban sobre el verdor de la montaña.

La muchedumbre avanzaba en dos hileras con un ruido irregular de pies que se iban arrastrando, y Adil Bey miraba a todos disimuladamente, muy aprisa, como si le inspiraran miedo.

El resto de la ciudad estaba vacía. Al andar se veía el comienzo de calles fangosas y negras como alcantarillas. El aire, que venía del lado de las refinerías, olía a petróleo. Aquellos jóvenes, aquellas muchachas, aquellas cabezas rapadas, aquellas camisas con el cuello abierto, todo aquello era el mundo del petróleo. Los obreros que discutían en una sala de la planta baja seguían con los ojos un bastón que el orador paseaba por un gráfico azul y rojo: ¡el gráfico de la producción de petróleo!

Para poder tener una bicicleta, aquel muchachote que se paseaba con su amiga debía de ser un especialista.

Adil Bey había intentado comer en su restaurante, al que Sonia le había enviado con una nota escrita en ruso. Tenía las paredes encaladas, como las oficinas. Las mesas eran de madera sin pintar. Comían arremangados, con los codos sobre la mesa, sin decir nada, como si trabajasen: una sopa, un poco de carne picada con trigo hervido y una rebanada de pan negro. Una joven contaba rápidamente los platos que pasaban ante ella. Otra ensartaba en un gancho de hierro los tíquets verdes que los camareros le entregaban al pasar. Debía de haber otros en la cocina.

Adil Bey no comprendía todo aquello, como tampoco comprendía sus paseos. Le hubiese tranquilizado ver a alguien que jugase al trictrac delante de su casa, o incluso a un viejo fumando su narguile.

Pero viejos había muy pocos. O, mejor dicho, se parecían a los visitantes del consulado. Aún formaban parte del gentío, pero ya no mantenían ninguna relación con él. Pasaban como fantasmas sórdidos a los que nadie parecía ver, y si estaban tendidos por el suelo, los sorteaban como si fueran cosas.

Todavía recorrió dos o tres veces más el muelle en toda su longitud, y se hizo noche del todo. En la casa de los sindicatos la mayoría de las ventanas estaban iluminadas. Alguien hacía escalas con un saxofón.

Sonia no se había movido. Seguía estando en la sombra, y el joven le hablaba en voz baja.

* * *

Ahora Adil Bey lo sabía: en toda la ciudad, en todas las casas había una o dos familias en cada habitación, sin contar los *kulaks* y los hijos de *kulaks,* que dormían fuera. Por la mañana hacían cola a la puerta de las cooperativas, hasta que un cartel anunciaba que se habían terminado las patatas o la harina o las legumbres.

Y de ahí que de pronto, como en cualquier ciudad, estallaba luminosa, con varios metros de altura, la palabra *Bar.* Después de empujar la puerta, un criado de librea se precipitaba a coger los sombreros, mientras se distinguían parejas por entre una colgadura entreabierta.

Adil Bey se sentó en la primera mesa y miró a su alrededor. Para el tango se habían apagado las lámparas, y la única luz era la del bombo, que contenía bombillas eléctricas. Era como una inmensa luna de color rojizo ante la cual pasaban las parejas. Adil Bey había oído aquel mismo tango en Viena y en Estambul, siempre con muy poca luz y las mismas siluetas de músicos perdidos en las sombras.

En Estambul también había marinos extranjeros, mujeres con vestidos de seda de no muy buena hechura, y risas, murmullos, el olor de los alcoholes y de los perfumes, camareros con chaqueta blanca que iban de mesa en mesa.

—¿Qué va usted a tomar?

Le hablaban en francés. Le tendieron una carta de vinos abierta por las páginas de los champañas. En aquel mismo momento alguien le hizo señas desde la mesa vecina. Era la mesa más ruidosa. Media docena de personas en torno a botellas de champaña y de whisky. Un hombre con un traje blanco, la camisa desabotonada, unía la palabra al gesto, pero sin levantarse de su silla, que parecía estar a punto de hacer caer.

—¡Aquí, amigo!

Adil Bey se levantó, vacilando. Le tendieron una enorme mano que estrechó la suya.

—John, de la Standard. Y usted será el nuevo cónsul. He oído hablar de usted en casa de los Pendelli. ¡Camarero, un vaso! —y, señalando a los oficiales que le acompañaban, dijo—: Unos camaradas. Aquí todo el mundo es camarada. ¿Whisky? ¿Champaña?

Estaba borracho. Siempre lo estaba, y siempre iba vestido de blanco, con la camisa abierta, dejando ver su robusto cuello. También conducía siempre a toda velocidad su coche por las calles, tomando las curvas con un frenazo y deteniéndose en seco en el momento en que iba a atropellar a un niño o a una vieja.

—¿Y esa granja de Nejla? —preguntó después de vaciar su vaso.

Su mirada examinaba a Adil Bey a través de la embriaguez. Los rasgos de su cara eran gruesos y blandos; tenía bolsas bajo los párpados. La mayor parte del tiempo, las pupilas brillantes de humedad no se orientaban hacia ninguna parte, pero cuando se clavaban en un objeto la boca se hacía más rígida, la actitud más altanera.

—¿Ya está? —preguntó.

Se encogió de hombros al ver que su interlocutor se azaraba tratando de encontrar una respuesta.

—¡Imbécil!

—¿Cómo dice?

Pero John no le daba tiempo para enfadarse. No decía imbécil como los demás.

—¡No creerá usted que los demás no hemos pasado por lo mismo! *Barman*, ponga otra botella en hielo.

Las parejas pasaban una y otra vez en medio del halo de la batería.

—Al menos supongo que no le habrá dicho nada comprometedor.

—No le entiendo.

Un flamenco que se había levantado volvía ahora con una mujer a la que hizo sentar a su lado. No podía hablar con ella, y durante el resto de la noche se contentó con mirarla sonriendo mientras le acariciaba el brazo.

—¿Hace mucho que está aquí? —preguntó Adil Bey al norteamericano.

—Cuatro años.

—¿Se encuentra a gusto?

John se echó a reír, o, mejor dicho, expulsó el exceso de aire de sus pulmones, así como una partícula de tabaco que tenía sobre los labios. Pero eso le daba igual. No pretendía ser cortés ni amable.

—¡A su salud! ¡Hasta que reventemos!

Bebía el whisky en un vaso de cerveza, sin que pudiera medirse los progresos de la embriaguez. En su mesa no había una conversación continuada. De vez en cuando los oficiales hablaban entre sí, o alguien se levantaba para bailar. John fijaba su mirada en el cónsul, una mirada a veces vaga y a veces penetrante.

—¿Ya tiene nostalgia?

—No. Estoy un poco desconcertado.

—Si tiene algún problema vaya a verme. ¿Sabe dónde vivo? Donde termina la ciudad, cerca de los oleoductos.

—¿Me permite que le haga unas preguntas? Acaba usted de hablar de la señora Amar. ¿Cree que es de la GPU?

Esta vez John pareció sentirse irritado.

—¿Quiere un buen consejo? No hable nunca de esas cosas a nadie. Mire, el camarero que nos sirve es de la GPU. Todas las mujeres que están aquí también. ¡Y el portero! ¡Y los criados!

No había bajado la voz. Los músicos, que estaban detrás de él, le observaban sin decir nada.

—No haga ninguna clase de preguntas, ¿comprende? Si sus paquetes llegan sólo con la mitad de lo que hubieran debido contener, cállese. Si le roban, cállese. Si una noche le asaltan por la calle para quitarle su cartera, vuelva tranquilamente a su casa. Si alguien muere en su despacho, espere a que vayan a recoger el cadáver. Y tenga muy en cuenta que si su teléfono no funciona es porque no ha de funcionar.

—El funcionario que cubría la interinidad antes de llegar yo fue detenido al llegar a Tiflis.

—¿Y a usted qué puede importarle?

—En cuanto al cónsul precedente me han dicho...

John le hizo callar poniéndole su mano sobre la de él.

—¡Beba! Deje pasar las horas, y luego los días, las semanas, los meses. Es posible que algún día su gobierno se acuerde de usted y envíe a alguien para sustituirle.

Decía todo eso con una voz áspera de payaso.

—No venga mucho por aquí. Hable lo menos posible con los oficiales extranjeros.

—Pero veo que usted...

—¡Amigo mío, yo soy de la Standard!

En el fondo, sentía el mismo orgullo pronunciando estas palabras que Pendelli cuando hablaba de Italia.

—¡Camarero, la otra botella!

Y se dirigió en inglés al comandante que estaba amodorrado junto a él.

Adil Bey había bebido tres vasos grandes de whisky. Los objetos flotaban ligeramente en el espacio. Miraba con rencor al norteamericano que se había desentendido de él, y tenía ganas de hacerle confidencias.

Aún no sabía exactamente qué es lo que podía decirle, pero haría que en la conversación saliese su secretaria, a la que tal vez John conociera. Estaba furioso. Se preguntaba si aún seguiría en la ventana de la casa de los sindicatos. Comprendía su mueca cuando él le habló del bar en el que había mujeres con los rasgos toscos de campesinas o de obreras, que bailaban, con la cara maquillada, con gestos y risas torpes.

Algunas parejas desaparecían. Otra armaba un gran alboroto detrás de una cortina que protegía un apartado de las miradas.

—¿Viene usted a menudo? —preguntó Adil Bey al capitán belga que era su vecino.

—Un viaje aquí, un viaje a Tejas.

—¿Petróleo?

—Petróleo.

—¿Norteamérica es más divertida?

—Viene a ser lo mismo, quizá menos divertida. La *pipe* está lejos de la ciudad, y la carga sólo dura seis horas. ¡Apenas el tiempo de ir al cine!

—¿No hace escalas?

—Nunca.

Frente a ellos, el jefe de sus mecánicos trataba de contar una historia a la mujer, mezclando el alemán y el inglés, y sobre todo valiéndose de gestos. Ella reía como si le entendiese. El aun reía con más fuerza.

Un jovencísimo oficial bailaba con una mujer bastante guapa vestida de verde y que le sacaba toda la cabeza, y se sobresaltó cuando John, al pasar por su lado, le tiró de la chaqueta.

—¡Esta no! —le dijo en italiano.

—¿Por qué?

—¡Te he dicho que con ésta no!

Y John miró hacia otra parte, mientras Adil Bey murmuraba tímidamente:

—¿Le importa que invite a otra ronda?

—¡Vete a la cama! Acuérdate de lo que te he dicho: vivo cerca de los oleoductos. ¡Buenas noches!

Adil Bey se sentía lejos de la casa de los clubs, del muelle, de las personas que daban vueltas alrededor de la estatua de Lenin. Le costaba dejar el círculo de luz discreta, la música y sobre todo aquel rumor hecho de conversaciones en tres o cuatro lenguas, con acompañamiento del habitual tintineo de platos y vasos.

Y sin embargo, incluso en aquella atmósfera copiada de todos los cabarets del mundo, le acompañaba su desasosiego. Espiaba a la gente, oficiales extranjeros o camareros, el propio John y los músicos. Porque había adquirido una manera de mirar a sus semejantes a hurtadillas que le inquietaba.

¿Era culpa suya?

Fuera había varias mujeres. Por un momento estuvo

indeciso. Aún llevaba pegado al cuerpo la música, el calor del cabaret, y miraba vagamente la negrura del muelle, los reflejos en el agua quieta, las barcas que parecían enviscadas.

Un relámpago rojizo cruzó el espacio. Por un momento permaneció sin comprender lo que pasaba. Todos corrían. Se había producido una breve gritería, y las mujeres habían dado dos o tres pasos hacia adelante.

No avanzaban más. Ahora comprendía la escena a la que acababa de asistir, a la que asistía, porque todo había sido tan rápido que no había ni pasado ni presente.

Un hombre corriendo. Otro que llevaba una gorra verde disparaba contra él. El primero aún daba varios pasos más, inclinándose hacia adelante, hasta desplomarse con un ruido blando.

Las pisadas del que había disparado seguían resonando. Una mujer, con un movimiento del brazo, impidió que Adil Bey avanzase.

Y no obstante estaba apenas a cincuenta metros. El agente de la GPU se inclinaba sobre la forma tendida. Dos sombras salieron de algún lugar, y sin una palabra, sin un movimiento inútil, levantaron al herido o al muerto, y se lo llevaron, de pie, con las piernas colgando.

—¿Qué ha pasado?

Las mujeres no le comprendían. Sin darse cuenta había hablado en turco. Empezaban ya a sonreírle.

Cuando echó a andar sintió por el temblor de sus rodillas que estaba borracho. La casa de los sindicatos, un poco más lejos, estaba cerrada. Fuera del círculo de luz del bar, las calles estaban desiertas y eran negras. Hundió los pies en los charcos. Por dos veces se asustó al creer ver unas siluetas pegadas a las paredes.

Anduvo casi corriendo los últimos diez metros que le separaban de su casa, y su mano temblaba al hacer girar la llave dentro de la cerradura.

Ya hacía mucho que habían cortado la luz. Sólo el cabaret debía tener una línea conectada especialmente con la red, si no tenía su propio generador. No tenía nada que ver con la vida de la ciudad. La gente entraba y salía, pero eran marinos que habían llegado la víspera o aquella mañana, y que se irían al día siguiente, y cuyas lentas pisadas podían oírse perdiéndose en dirección a los barcos.

«Todas las mujeres son de la GPU», había dicho John.

¡Las de dentro y las de fuera! Las de dentro iban mejor vestidas. ¿Adónde iban las parejas? ¿No eran las que Adil Bey había rozado por dos veces al pasar demasiado cerca de las paredes?

Hacía más calor a causa del vaho que después de la lluvia despedía el suelo. Adil Bey abrió las ventanas de su cuarto, se quitó la chaqueta y tuvo una sensación angustiosa de vacío.

No sólo era su cuarto lo que estaba vacío, también la ciudad, en la que no subsistía más que el puntito cálido y luminoso del bar.

¿Acaso todo el mundo dormía? ¿No había, entre tantas personas que vagaban a todas horas por los muelles, parejas que susurraban, un hombre que leía antes de dormirse, una mujer que a la luz de la lámpara cuidaba a un niño enfermo, cualquier cosa, un signo de vida, la palpitación de una ciudad?

El olor de Nejla, que persistía en la alcoba, le recordó a John, luego la primera reunión en casa de los italianos, y sobre todo el bigotito y los zapatos de charol de Amar, quien, acodado en la chimenea, hablaba en voz baja con Fikret antes de acompañarle a la estación.

Las ventanas de enfrente estaban abiertas de par en par, y era la primera vez que durante la noche las dos se quedaban abiertas. Había luna. Los ojos se acostumbraban a su difusa claridad, que daba a las manchas blancas un relieve asombroso.

Adil Bey veía la almohada de la señora Kolin y la catarata negra de su cabellos sueltos. Sobre la alfombrilla había ropa interior de color claro.

Bastaba con que torciese un poco la cabeza, inclinándola levemente hacia adelante, para ver la cama metálica de Sonia. Era un rectángulo blanco, completamente blanco, sin una mancha, sin una irregularidad.

¡La cama estaba intacta! ¡Sonia aún no había regresado! En su cama la señora Kolin se agitaba, tan cerca que Adil Bey oyó el quejido de los muelles.

O sea, que alguien no dormía en la sombra inmensa de la ciudad, en un lugar cualquiera del horizonte, en una de las múltiples casillas que formaban los ladrillos de todas las casas. ¡Y era Sonia, la de la cara pálida y grave!

5

¿Por qué, por ejemplo, le habían cortado el agua? Porque hasta entonces tenía un grifo para él solo en la cocina. Este grifo funcionó durante varios días, hasta que de repente dejó de dar agua.

—Tal vez hayan reducido la presión por una avería —dijo al principio Sonia—. Hay que tener paciencia.

Luego dio una explicación distinta.

—Debe de haberse estropeado. Diré al fontanero que venga.

Evidentemente, el fontanero no acudió. Tenía que ir, pero no iría nunca, nunca.

—Se habrá equivocado de dirección —propuso Sonia. O bien:

—Hoy es día de descanso, vendrá mañana.

Desde entonces, al levantarse Adil Bey se ponía el pantalón y cogía su jarro. Raras veces había menos de seis personas ante el grifo del rellano. La espera era más larga cuando las mujeres se lavaban el pelo. El permanecía inmóvil, detrás de los otros. No le decían nada. Ni siquiera le miraban. Pero sabía que eran ellos, que formaban parte del comité de gerencia del inmueble, los que le habían cortado el agua.

Cuando volvía con su jarro lleno, ya había gente ante la puerta del consulado. Iba despeinado y en zapatillas. Pero ¿a él qué le importaba?

Por la mañana ya no se hacía té. Llevaba demasiado

tiempo. Con un punzón hacía dos agujeros en un bote de leche condensada y bebía directamente su contenido.

Ahora llevaba su última camisa, que aún había sido lavada en Turquía. Todas las demás estaban sucias, y no sabía si alguien aceptaría lavárselas. Las ventanas de enfrente estaban cerradas. El sol aparecía empañado por un vapor imperceptible, lo cual era anuncio de un día sofocante y quizá de una tormenta como las que estallaban continuamente.

Adil Bey se bañó la cabeza en agua de colonia, se peinó y se puso la chaqueta antes de entrar en el despacho en el que había oído ruido.

¡Y así empezó una nueva jornada, igual que las anteriores, sin duda también igual a las futuras! Sonia estaba sentada en su sitio, tranquila, con los cabellos recogidos, la expresión disponible, y dijo como de costumbre:

—Buenos días, Adil Bey.

El sol llegaba hasta el rincón del despacho, y acariciaría los papeles hasta que hubiera dejado atrás la ventana de la izquierda.

—Que entre.

Ya tenía jaqueca. Invadían la habitación gentes tan piojosas, tan obtusas, tan rústicas, que uno se preguntaba de dónde podían salir tantas personas así todos los días. Todavía ahora Adil Bey se equivocaba al tratar de determinar su raza, y algunos hablaban un dialecto que nadie comprendía, de modo que, después de inútiles esfuerzos para explicarse, se iban desalentados.

Venían de las montañas, de lugares de Armenia y de Persia, o bien, sabe Dios por qué, procedían de los confines del Turquestán e incluso de la Siberia.

Y contaban historias interminables, de una complicación desconcertante.

Pero, vamos a ver, ¿qué es lo que quieres? —estallaba Adil Bey.

—Quiero que me paguen un asno nuevo.

Ahora bien, el asno era lo único de lo que el hombre no había hablado.

Aquel día Adil Bey ni siquiera escuchaba. Estaba harto. ¿Para qué aquella comedia puesto que, a fin de cuentas, incluso en el caso más grave, tampoco obtenía nada de las autoridades? Le sorprendió ver que la ventana de enfrente seguía cerrada. En medio de las jeremiadas de un montañés, preguntó a Sonia:

—¿Está enferma su cuñada?

Ella miró también hacia la calle, comprendió lo que pensaba el cónsul y replicó, con el lápiz en la mano:

—No. Trabaja.

Eso no impedía que el hombre continuara hablando, cada vez en voz más alta.

—¿Es la primera vez?

—Sí. Hoy ha empezado a trabajar de contable en la refinería estatal.

Nada más sencillo que esta conversación en contrapunto a las lamentaciones del campesino, cuyos ojos no se apartaban de Adil Bey, y, sin embargo, a este último le crispaba los nervios.

—Esta noche ha sido muy calurosa.

Ella asintió con la cabeza sin parecer incomodarse.

—En su casa habían abierto las dos ventanas.

—Yo había salido.

—Lo sé.

El campesino hablaba ahora con voz de falsete, y el desaliento se leía en su cara color de tierra cocida.

—Te escucho —suspiró Adil Bey para darle ánimos.

Porque en medio del silencio no hubiera tenido el valor de hacer las mismas preguntas.

—¿Ha dormido al aire libre?

—No, en casa de un amigo.

—¿Aquel joven con quien la vi?

—Sí.

La respuesta fue categórica y franca, tan categórica que el cónsul se preguntó si había algo entre ella y el joven.

—¿Le quiere? ¿Es su novio?

—No. Es un amigo.

Adil Bey se volvió hacia el montañés y le dijo que volviera otro día. Se acercó una vieja que quería divorciarse, pero que era incapaz de explicar por qué. ¡Y aún quedaban quince o veinte solicitantes! Adil Bey les dejaba hablar, y tan pronto miraba la mano de Sonia escribiendo, como sus cabellos pálidos o su vestido negro y sus delgados hombros de muchacha.

Hacía calor. Los harapos despedían un olor rancio, y el agua de colonia de Adil Bey aún lo hacía más repugnante.

Sin embargo, eran las horas mejores, o las menos malas del día. El tiempo pasaba. Podía calcularse que cuando le tocase el turno al último visitante sería aproximadamente la una.

¿Y después? ¿Qué podía hacer después? Se echaba en la cama y no dormía, porque ya dormía demasiado por la noche. Por la tarde las calles eran un horno, unas sombrías, otras hirvientes de sol, y no iba a ir de un lado a otro infinitamente, y además solo.

No había más remedio que esperar, hora tras hora, el momento de pasearse por el muelle, entre el gentío que ya ni le miraba. Y luego volver a su casa para acostarse, y al día siguiente por la mañana abrir dos agujeros con el punzón en el bote de leche condensada, e ir a hacer cola al rellano de la escalera.

—Su cuñada, ¿está contenta de trabajar?

—¿Por qué no va a estar contenta?

—¿Ha sido ella quien lo ha decidido?

Sonia fingió no haberle oído, y se puso a escribir más aprisa. Entonces, sin ninguna razón concreta, Adil Bey se levantó, y dirigió una mirada de enojo a su alrededor.

—¡El consulado se cierra! —declaró—. Los que quieran pueden volver mañana.

Sonia alzó la cabeza, dudó, tal vez estuvo a punto de protestar. Pero, sin esperar ninguna respuesta, él entró en su habitación y se miró en el espejo del lavabo.

Empezaba a tener bolsas debajo de los ojos. Su piel era de color gris, y el conjunto de su persona tenía un aspecto triste e inseguro.

Estaba atento a los ruidos de la casa. Oyó pasos muy lentos hacia la parte del pasillo. Luego unas voces, pero más lejanas.

Abrió de nuevo la puerta del despacho y se puso a andar por la habitación, sin saber adónde iba, sin mirar a Sonia, que había vuelto a ocupar su lugar.

—¿No se encuentra bien? —preguntó ella con su voz inexpresiva.

—¡Me encuentro muy mal!

—¿Quiere que llame al médico?

—No tengo ganas de que me envenenen.

Creyó advertir que ella sonreía, y se volvió rápidamente para mirarla, pero su rostro era el mismo que de costumbre.

—¿Cuánto tiempo vivió aquí mi predecesor?

—Creo que dos años. Yo sólo le conocí el segundo año.

Se sentó, volvió a levantarse, apartó unos papeles.

—¿Y ahora quién arreglará la casa de su hermano?

—Cada cual hará su parte.

—Confiese que han exigido que su mujer trabaje. Se parecía demasiado a una burguesa quedándose en casa, en el hogar.

—¿No le parece natural?

—¿Y si tuviese un hijo?

—Tendría derecho a tres meses de permiso pagado, y

después a tres medias horas al día para darle el pecho.

—¿Y si fuera usted la que tuviese un hijo?

El esperaba que se estremeciera, pero no fue así.

—Pues exactamente igual.

—¿Aunque no esté casada?

—¿Por qué va a ser distinto?

¿A quién se le ocurría hablar de aquellas cosas? ¿Qué necesidad tenía de hablar de aquel asunto? Y sin embargo continuaba. Era más fuerte que él. De pie, delante de la ventana, llamó a Sonia.

—Venga a ver.

Le señaló la gente que esperaba en la acera de enfrente, a pleno sol, delante de la cooperativa. Acababan de descargar galletas, y por las rendijas de las cajas habían caído pedacitos apenas visibles. Pero cinco o seis mujeres se habían arrodillado en el suelo para recogerlos.

—¿Y qué? —dijo Sonia.

—¿Se atrevería a decirme que estas personas no se mueren de hambre?

—No se mueren, puesto que viven. ¿Es que en su país no hay pobres? ¿No hay millones de parados en Norteamérica, en Alemania y en otros países?

Creía estar viéndola en la ventana del club, el día anterior, con aquel joven; volvía a ver a los obreros escuchando la conferencia. Oía las escalas del saxofón mientras vagaba solo por las calles.

—¿Qué puede comprar con los cuatrocientos rublos que gana?

—¿Qué quiere decir? Compro lo que necesito.

—Eso ya me lo dijo. Pero ahora conozco los precios. Un par de zapatos como los que lleva cuestan trescientos cincuenta rublos. Su vestido al menos cuesta trescientos. Un pedazo de carne...

—Yo no como carne.

—¿Su hermano tampoco?

—Sólo cuando cena en el restaurante cooperativo.

—¿Cuánto gana?

—También cuatrocientos rublos. Los miembros del Partido se niegan a ganar más.

A él le excitó sentir aquel temblor en su voz, mientras la joven añadía:

—No somos desgraciados.

—¿Y si tuviese que hacer cola como esa gente?

—La haría.

El cónsul buscaba otra cosa. Y se precipitó sobre la primera idea, no sin un ligero vértigo.

—¡Confiese que pertenece a la GPU!

—Pertenezco al Partido.

Cuando despidió a sus visitantes no tenía ninguna idea preconcebida, y en cualquier caso estaba lejos de prever aquella conversación ridícula. Pero necesitaba ver la cara de Sonia sin su sempiterna expresión de seguridad.

—¿Qué edad tiene usted?

—Veinte años, ya lo sabe.

—Y ayer, ¿por qué se fue con aquel hombre?

—¿Por qué no iba a irme con él?

—¿Le quiere?

—¿Quiere usted a la señora...?

No dijo el nombre, pero su mirada se dirigió hacia el dormitorio.

—No es lo mismo.

Era ridículo, odioso, y eso le hacía sufrir hasta el punto de que cada uno de los poros de su frente exudaba una gota de sudor. Fruncía el ceño, tenía la mirada extraviada. Como se encontraba detrás de Sonia, sintió el impulso de abrazarla a la fuerza, de apretarla contra él diciendo cualquier cosa.

No se atrevió. Era imposible, y miró con odio las dos ventanas cerradas de la casa de enfrente, la calurosa calle, el trozo de cielo glauco y su propio escritorio, vacío, muerto.

Entonces, cambiando de tono, dejó caer:

—¿Ha renunciado a encontrarme una asistenta?

—La sigo buscando.

—Sabe perfectamente que no la va a encontrar.

—Es muy difícil.

—Porque soy extranjero, ¿no? ¡Y está mal visto que un ruso trabaje en casa de los extranjeros! ¡Incluso corre el riesgo de que sospechen de él y de que la GPU le moleste!

Ella sonrió.

—Atrévase a decir que no es verdad...

Todo aquello era exactamente lo contrario de lo que pretendía. Se hubiese echado a llorar.

—Escuche, Sonia...

—Le escucho.

¿Acaso ella no hubiese debido ayudarle? No necesitaba hablar ni hacer un gesto. Le bastaba con mostrarse un poco menos tranquila, menos segura de sí misma, menos como siempre. ¿No había vuelto a ocupar su lugar en el despacho para prevenir el peligro?

—¡Usted me detesta!

—No —dijo ella—. ¿Por qué voy a detestarle?

—¿Qué piensa de mí?

—Pienso que sería mejor que regresara a su país.

—¿Quiere usted decir —preguntó el cónsul respirando con dificultad— que no soy capaz de vivir aquí, que me dejo impresionar por todas sus organizaciones y por el misterio con que me envuelven? ¡Sé que es eso lo que piensa! Pero he vivido en otros lugares, para que lo sepa. ¿Ha oído hablar de los Dardanelos? Durante tres años viví en unas trincheras que apenas merecían este nombre, donde a veces andábamos sobre dos capas de cadáveres. Allí tampoco había criada, ni siquiera leche condensada...

Ella le miraba con su sempiterna gravedad. Hubiera

podido sonreír ante aquel orgullo que tan bruscamente había aflorado a la superficie. ¡Pero no! Observaba a su interlocutor con curiosidad.

—Aún tengo una bala en la base del cráneo, nunca me la podrán extraer. ¿Y sabe usted cómo me uní a Mustafá Kemal en el Asia Menor, cuando la Revolución? Fuimos tres los que embarcamos en un caique de seis metros de largo, y durante semanas enteras estuvimos a merced del mar Negro. Era en pleno invierno.

Necesitaba contar aquellas cosas porque sabía que ahora tenía la piel gris, los hombros caídos. Sólo que se le había acabado el impulso y ya no sabía qué más decir.

¿Por qué no decía ella nada?

Se quedó quieto ante la ventana para recuperar el aliento y dejar que se calmase el ardor de la sangre. Cuando se volvió, la secretaria estaba ordenando sus notas de la mañana.

—¡Sonia!

—Sí.

—Esta noche me sentía muy triste.

—¿Por qué?

—Porque su cama estaba vacía. No lo comprendía.

—¿Qué es lo que no comprendía?

—Que se hubiera ido con aquel hombre. ¿Se ha ido con muchos más?

—No lo sé.

—¿Desde hace cuánto tiempo?

—Hará unos dos años.

La veía de perfil y pensaba en muchas cosas muy distintas, en los 400 rublos que ganaba, en las comidas de pan negro y de té, en la cama metálica, en el cuarto de su hermano y de su cuñada, en el agua que ella iba a buscar por la mañana, también ella, en el pasillo, en...

¡Y sin embargo su vestido era de buena hechura, su cara serena y decidida!

Sería igual que en la semana anterior: la tormenta se haría esperar durante horas. El cielo ya no tenía color. Un vapor cálido cubría la ciudad, y los pulmones aspiraban un aire demasiado espeso.

—¿Qué le pasa, Adil Bey?

Se había quitado violentamente el cuello postizo y la corbata, y estaba de pie, ridículo, en medio del despacho.

—Sería mejor que se sentara.

Esto era precisamente lo que no quería hacer, porque aún no había renunciado a cogerla en sus brazos. De vez en cuando, se acercaba a ella con decisión, y enseguida se alejaba.

Sonó el timbre del teléfono. Sonia descolgó el auricular y luego lo tendió sencillamente a Adil Bey.

—No... no... —gruñó éste, hablando al aparato—. Es imposible... No me encuentro bien... ¡No, no puedo ver a nadie! Le he dicho que no: quiero quedarme en mi rincón como un perro enfermo... Hasta la vista.

Era Nejla.

—¿De verdad se encuentra usted enfermo? —preguntó Sonia sin sentimiento.

—No lo sé.

No estaba bien en ningún sitio. Tenía calor. No tenía hambre, pero sentía retortijones de estómago.

—¿Sabe lo que debería hacer? Ir a la playa y tomar un baño. Luego podría ir andando tranquilamente hasta el jardín botánico, que todavía no ha visto, y que según los extranjeros es uno de los más hermosos del mundo. Tomando atajos, apenas hay seis kilómetros.

—¿Y luego?

—Luego se sentirá cansado y podrá dormir.

—¿Ya ha seguido usted este programa?

—Sí.

—¿Sola?

—¿Por qué no?

La hubiera abofeteado. ¡Qué idea andar doce kilómetros solo, bajo el sol, para visitar el jardín botánico!

—Supongo que usted se negaría a acompañarme...

—Me vería obligada a decir que no.

—¿Porque eso la aburriría?

—No especialmente.

—¡En resumen, siempre lo mismo! ¡Porque soy extranjero! ¡Se convertiría en sospechosa! ¡Ya! Comienzo a comprender. He visto a esas mujeres que en el bar acaban accediendo a irse con los marinos. Pero también sé que pertenecen a la GPU. ¡Confiéselo!

—¿Por qué no? A veces la policía las interroga.

—¿También a usted?

—Yo no he dicho eso.

—¡Pero no se atrevería a afirmar lo contrario! Anoche mataron a un hombre a cincuenta metros de mí.

Ella le miró con curiosidad.

—El que disparó llevaba una gorra verde.

—En su país, ¿no dispara nunca la policía?

—Tal vez. En cualquier caso la diferencia está en que los espectadores reaccionan, se preocupan por saber lo que ha pasado. Ayer los que estaban allí ni siquiera dieron un paso.

—Porque aquello no les afectaba.

Sin embargo, había como una sonrisa en sus ojos claros, que parecía corregir su observación. O al menos atenuaba un poco la sencillez desconcertante de la respuesta.

—Sonia...

—Hoy ya es la tercera vez que me llama sin decir nada más.

—¿Preferiría que añadiese algo?

—No.

El también sonrió. Era la primera vez que cedía la tensión. De pronto tuvo la impresión de que no estaban tan lejos como había pensado.

Se oyó el ruido de postigos al cerrarse. Era la cooperativa que había agotado sus provisiones, y Adil Bey vio a una cuarentena de personas que, como todos los días, se iba con la bolsa vacía.

—Me olvidaba de hablarle de su ropa blanca —dijo la joven levantándose.

Enfrente se abrió la ventana. Kolin había sido el primero en llegar, y su gorra verde ya estaba en el perchero. Encendió un cigarrillo, volvió a perderse en la sombra del cuarto, deshizo unos paquetes de comida que dejó encima de la mesa. Ni siquiera miró las ventanas del consulado.

—¿Le ha visto esta mañana? —preguntó Adil Bey.

—Claro que sí.

—¿Y no le ha dicho nada?

—¿Qué iba a decirme? A propósito de la ropa blanca, no tiene más que dármela y yo la mandaré a la lavandería junto con la nuestra. Hoy es el día. ¿Dónde está?

Estaba abierta la puerta que separaba el despacho del dormitorio. La cama seguía deshecha, y el pijama de Adil Bey estaba en el suelo. Ella lo recogió.

—¿En este armario?

—Sí... Sonia... Quisiera hacerle una pregunta...

—¿También sobre lo de anoche? No le entiendo. Concede usted una importancia ridícula a cosas que no la tienen.

—No se trata de aquel hombre.

—Entonces ¿de qué se trata?

—De mí... Si yo le pidiera...

Hablaba en voz baja porque las ventanas estaban abiertas y tenía la impresión de que podían oírle desde la casa de enfrente. Sonia tenía en las manos un montón de ropa. El estaba situado entre la joven y la calle. Había oído volver a la señora Kolin y hasta captó un ruido de platos.

—Dese prisa, es la hora de comer.

Era el final. Ella se iba. Unos segundos más y ya sería demasiado tarde.

—Si yo le pidiese que una noche...

No le dejó terminar la frase.

—¡Sería tan complicado! —suspiró, dirigiéndose hacia la puerta.

No había dicho que no. No se había enfadado. No se había reído. Entre las ventanas del dormitorio y la primera ventana del despacho se extendía un lienzo de pared sin aberturas. Sonia adivinó por qué el cónsul permanecía en aquel lugar, por el que ella debía pasar y desde donde eran invisibles para los de enfrente, pero no retrocedió.

—¡Sonia!

La abrazó tan turbado que al principio ni siquiera se le ocurrió besarla. La sujetaba por los hombros, tan delgados. La carne no era dura. Se inclinó sobre su cuello, frotaba su piel con la mejilla, levantando un poco los rubios cabellos, y se sorprendió al comprobar que ella se le abandonaba.

—¡Sonia...!

Rozó sus labios. Los apretó contra los suyos y estuvo a punto de perder el equilibrio, porque ella iba echándose hacia atrás. Cuando se irguió, él se quedó inmóvil, desconcertado. La joven no había soltado el paquete de ropa. Sonreía extrañamente, mientras se ordenaba el pelo con una mano.

—¿Por qué se perfuma usted? —preguntó.

—Es agua de colonia. ¿No le gusta?

—No lo sé. Le he comprado pescado ahumado y queso de oveja.

Ella ya no se encontraba bajo la protección de la pared. Por la ventana vio que su hermano y su cuñada ya habían empezado a comer.

—Hasta luego.

Una vez solo, Adil Bey no se sintió feliz, ni siquiera

contento. Abrió los paquetes que ella había dejado sobre la mesa, pero la vista de aquellas vituallas no le hizo sentir el menor apetito.

Oyó los pasos de Sonia en la calle y no se asomó para verla.

Kolin untaba de mantequilla su pan negro, bebía té con un fuerte ruido de aspiración y su mujer hablaba aprisa, sin duda contando los detalles de su primera mañana de trabajo.

Sonia entró en el cuarto, dejó la ropa en un rincón, arrojó su sombrero negro sobre la cama y fue a sentarse en su lugar, de espaldas a la ventana.

Debieron de hablar de Adil Bey, porque varias veces Kolin se volvió hacia el consulado, pero sin que en su rostro pudiera leerse el menor interés.

¿Por qué se reía la señora Kolin? No sonreía. ¡Se reía! ¿De qué? ¿De lo que había pasado aquella mañana?

¿Y qué es lo que su marido, en vez de comer, escribía en su carné?

Allí estaban los tres, tomando el fresco en el cuarto, alrededor de la mesa. Devoraban con apetito su parca comida, cerca de las dos camas, del lavabo que estaba junto a la biblioteca. Kolin tenía la costumbre, entre dos rebanadas de pan con mantequilla, de dar unas cuantas chupadas a su cigarrillo con boquilla de cartón, que dejaba sobre el reborde de la ventana.

¿Acaso Sonia no iba también a volver la cabeza? Adil Bey la espiaba. Esperaba. Estaba acurrucado al fondo del cuarto, y un estremecimiento de la nuca, que advirtió a pesar de la distancia, le avisó que iba a hacer un movimiento.

En efecto, se volvió con la boca llena, por un instante pareció no verle, con la mirada fija en la mesa donde había dejado las cosas de comer, con unos ojos sorprendidos, como si dijera: «¿No come usted?».

Eso duró dos segundos, luego fue el hermano quien miró, se oyó reír de nuevo a la cuñada, y Adil Bey, saliendo al fin de su escondite, fue a cerrar la ventana.

Se sentía humillado. Como si no fuese nada. Con desconfianza, como si se tratara de otra persona, volvió a mirar su imagen en el espejo, y tuvo la sensación de que estaba enfermo de veras.

Inmediatamente, envió una carta a Estambul para encargar una cantidad ridícula de bromuro.

6

Adil Bey iba a pensar a menudo en aquel instante en el que Sonia volvió la cabeza para mirarle, y luego siguió comiendo, mientras su hermano y su cuñada le miraban a su vez, él impasible, ella riéndose.

Porque aquel fue el último momento de toda una época, y el primero de otra, pero entonces aún no lo sabía, y refunfuñaba porque la tormenta no acababa de estallar.

No tenía ganas de trabajar. Cuando Sonia volvió, se quedó encerrado en su cuarto, sentado al borde de la cama, sin dejar de confiar en que ella tuviese alguna consulta que hacerle. Pero no fue así, y hacia las cuatro, después de peinarse, entró en el despacho.

—¿Ha dormido? —preguntó ella.

—No.

Desde el primer instante notó algo anormal, pero no sabía lo que era. Una vez sentado a su escritorio, la miró trabajar y se preguntó por qué estaba tan malhumorado.

Porque Sonia estaba alegre, muy alegre. Eso no se advertía de una manera ostentosa. Al escribir, hacía como de costumbre su mueca de niña aplicada. Eran los ojos los que reían, y cuando levantó la cabeza vio en ellos lentejuelas de oro.

Nunca había visto en ella esa clase de alegría, que parecía brotar de muy hondo. Sonia no se burlaba de las cosas ni de las personas: les sonreía, incluyendo a Adil

Bey, que volvió a su cuarto para cambiar la expresión de su rostro.

Tres o cuatro veces volvió al despacho, salió de nuevo, contemplando tan pronto el cuello esbelto y blanco de Sonia, que emergía del vestido negro, como sus manos, cuando no intentaba volver a ver los destellos en el fondo de sus pupilas.

A las cinco ella se levantó para ordenar los papeles, y aún no se habían dicho ni tres frases. A las cinco y media, como de costumbre, se puso el sombrero, y en el momento de salir, se volvió manifiestamente hacia Adil Bey, sin disimulo.

Debía de saber lo que vería. El avanzaba avergonzado, decidido, sintiéndose desdichado. Quería cogerla por los hombros, llevarla al mismo lugar que aquella mañana.

—Escuche, Sonia...

Estaba muy erguida, con las dos manos en el asa de su bolso, y parecía más delgada, más niña.

—¿De verdad lo desea? —Luego, en el mismo tono, tendiendo la mano derecha hacia el picaporte, añadió—: Espéreme esta noche. No encienda la luz.

Más tarde la vio en su casa al volver de la playa, comiendo con su hermano y su cuñada. Habían encendido las lámparas y cerrado las ventanas.

En el consulado Adil Bey andaba a oscuras, de vez en cuando se sentaba en cualquier lugar, pero no por mucho tiempo, y volvía a levantarse para seguir andando.

Y Sonia acudió. El reconoció sus pasos. Abrió la puerta, y en el momento de cerrarla asomó la cabeza para inspeccionar el corredor. El sólo veía la mancha de su rostro y de su cuello, la de sus manos. Enfrente seguía encendida la luz. De lo más alto del cielo caían gotas de agua, liberadas por fin.

Adil Bey no dijo nada, no hizo ni un gesto, y Sonia

dejó el bolso sobre el escritorio, se quitó el sombrero y finalmente se acercó a él diciéndole:

—¡Aquí estoy!

* * *

¿Cuántas veces acudió en quince días? ¿Tal vez diez? Adil Bey tenía la costumbre de estar al acecho en el momento en que ella se iba, a la caída de la tarde. Ella respondía afirmativamente con un movimiento de cabeza, siempre con la misma sonrisa, o bien decía:

—No.

Y una vez había dicho que no, no escuchaba sus súplicas. Era que no.

Llegaba apenas había oscurecido. Se iba cuando su hermano ya no estaba en la ventana, donde tenía la costumbre de fumar antes de acostarse.

La primera noche llamaron a la puerta, y los dos permanecieron inmóviles en la oscuridad, esperando oír cómo se alejaban los pasos. Un poco más tarde sonó el timbre del teléfono, y Sonia impidió que su compañero descolgara el aparato.

Las ventanas de enfrente estaban abiertas a pesar de la lluvia, cuando la señora Kolin ya se había acostado, y sólo Kolin continuaba allí respirando el aire que ahora era más fresco.

Estaban muy cerca los unos de los otros. Sonia permanecía tranquila, tanto que Adil Bey se preguntaba por qué había ido a su casa.

El temblaba al abrazarla, quitándole suavemente el vestido negro, descubriendo aquel cuerpo tan poco formado que se mostraba sin coquetería y sin pasión.

—¿Por qué está tan nervioso?

El veía sus ojos a pocos centímetros de los suyos, ojos que le miraban con curiosidad y que parecían reflexionar.

—¡Es usted un hombre muy extraño!

Decía eso cuando ya era muy tarde, atándose los zapatos, mientras él sentía la necesidad de pegar su frente al cristal.

Ahora, al cabo de tres semanas, ¿sabía algo más? ¿Era más feliz o más desgraciado? A menudo la miraba durante el día, serena y laboriosa, y entre ellos no se establecía ningún contacto.

La observaba sobre todo cuando ella estaba sentada a la mesa, al otro lado de la calle; observaba a Kolin y a su mujer, y aquello le inquietaba más. ¿Era posible que no lo supiesen? Y si lo sabía, ¿por qué Kolin continuaba mirando hacia el consulado con indiferencia?

Trató de tutear a Sonia, pero no pudo hacerlo. Con frecuencia la tenía en sus brazos, y de pronto su cara expresaba angustia.

—¿Qué le pasa? —preguntaba ella sonriendo.

¿Que qué le pasaba? Que sufría de tenerla a su lado, y de buscar en vano una verdadera intimidad.

—Usted no me quiere, Sonia.

—Eso depende de lo que llame usted querer.

Era cariñosa, a veces hasta mimosa. El ya casi no salía. Y un día Nejla Amar se presentó allí hacia las diez de la mañana y exclamó:

—¿Es así como me devuelve las visitas usted?

En el despacho había más gente. Adil Bey, incómodo, miró a Sonia, quien, sin dejar de apuntar con el lápiz hacia sus papeles, le indicó con la mirada a la visitante, y luego la puerta de su cuarto.

—¿Ya sabe que mi marido vuelve la semana próxima?

—¿No ha sido usted la que trataba de hablar conmigo por teléfono?

—No. Tiene que admitir que tenía el derecho de esperar noticias suyas.

¿Quién telefoneó la primera noche? ¿Quién llamó a la puerta?

—No sé lo que le pasa, Adil, pero le encuentro cambiado. —Se quitó el sombrero y los guantes, y se miró al espejo—. ¿Qué ha hecho usted desde el otro día?

—Nada.

—¿No me da un beso?

Al otro lado de la puerta Sonia escuchaba a los visitantes. La persa no se fue hasta al cabo de dos horas, y descontenta. Casi habían discutido.

—Confiese que le han contado chismes acerca de mí —había dicho ella en un momento dado.

—Le juro...

—¿A quién ha visto?

—A nadie.

—¡Y sin embargo alguien le vio en el bar!

—Sólo he ido una vez.

Cuando Nejla cruzó el despacho, Sonia ni siquiera la miró. Adil Bey volvió a ocupar su lugar. Sonia le señaló a un hombre con cara e indumentaria de pirata que estaba sentado en un rincón.

—Quiere hablar con usted personalmente.

—Acércate —dijo el cónsul.

—Cuando haya terminado con los demás.

Sonia tomaba notas, como de costumbre.

—Ahora te toca a ti.

Pero el hombre miró significativamente a la joven, y murmuró en turco:

—¿Cree usted que podemos hablar?

Sonia comprendió. Esperó una orden, haciendo ademán de levantase.

—Quédate. Puedes hablar.

El hombre tendió por fin unos papeles mugrientos que llevaba entre la piel y la camisa.

—¿Es tu pasaporte?

—No. Es el del hombre que murió. Me había dicho que si le ocurría alguna desgracia trajera los papeles aquí, para que se avise a su hermana, que vive en Esmirna.

Sonia comprendía que no debía tomar notas, y aprovechó aquella pausa para ordenar sus papeles.

—Explícate.

El hombre fue a abrir la puerta para cerciorarse de que no había nadie escuchando.

—Llevé a seis hasta Anatolia, por un camino de montaña. Cuando ya casi habíamos llegado, nos dispararon, y uno de los seis murió allí.

—¿Has ayudado a cruzar la frontera a muchos de este modo?

El otro no respondió, recogió su gorro de piel y se fue después de gruñir:

—¿Hará lo que tiene que hacer con estos papeles?

La mañana había terminado. El despacho estaba vacío y sucio. Sonia se ponía el sombrero.

—¿No se ha enfadado? —preguntó Adil Bey.

—¿Por qué?

—Por esa mujer.

—No podía hacer otra cosa. Le pido permiso para no venir esta tarde, porque tengo la visita de la escuadra.

—Muy bien.

¿Era posible besarla o decirle algo cariñoso cuando la veía así, erguida y tajante ante él? Además, pensaba en el hombre que ahora salía del consulado, y también en Nejla, cuyo perfume husmeaba de mal humor.

—Hasta mañana, Adil Bey.

—Hasta mañana.

*   *   *

Durante toda la tarde fue literalmente rechazado de una calle a otra como un objeto extraño. No sabía nada de las fiestas que se estaban celebrando. Ya en el primer cruce, cuando salió de su casa, tropezó con unos policías a caballo que cortaban el paso.

Tomó otro camino. A lo largo de las aceras y de la calle principal había una doble hilera de curiosos, y de todas las ventanas colgaban banderas rojas. De fachada a fachada habían extendido banderolas adornadas con inscripciones. En algún lugar, a la misma altura que los tejados, flotaba una tela de calicó de varios metros, con un retrato monstruosamente agrandado de Stalin.

En el momento en que se distinguía algo que debía de ser la cabeza de un cortejo, nuevos agentes a caballo rechazaban al público sin decir una palabra, con la fusta en la mano, y Adil Bey se encontró arrinconado en un portal.

No vio casi nada: hileras de gente andando, con banderas, más banderolas, estandartes con la efigie de Lenin. También había músicos, y luego desfilaron marineros vestidos de blanco, con el cuello azul y las largas cintas de su boina cayendo sobre la espalda.

Nadie gritaba. Nadie hablaba. Sólo estallaban las músicas en aquel vasto silencio.

Una vez hubo pasado el cortejo la gente se arremolinó. Los curiosos se precipitaban en la misma dirección. Desde muy lejos Adil Bey distinguió un estrado recubierto de terciopelo rojo, pero de nuevo le hicieron retroceder y volvió a encontrarse a orillas del mar.

En la rada vio cinco barcos de guerra, entre los cargueros extranjeros. Unos vaporcitos zumbaban sobre el agua brillante. En la fachada de la casa de los sindicatos y de los clubs unos jóvenes terminaban de colgar bombillas eléctricas que dibujaban letras gigantescas.

Adil Bey se sobresaltó al oír el ruido de un claxon a su espalda, apenas a un metro de distancia. Incluso dio un salto de lado, mientras John, al volante del coche que acababa de detener, se reía estúpidamente de su miedo.

—¿Qué tal?

Estaba rojo e iba despechugado.

—¿Va hacia allí? Suba...

Ya había abierto la portezuela, y Adil Bey no se atrevió a decir que no.

—¿No le han invitado al banquete? Esta noche dan una gran cena con baile en honor de los oficiales de la flota.

Nunca se podía saber si John se reía de sí mismo o de los demás, o si hablaba en serio.

—¡Para empezar acaban de fusilar a uno!

—¿Un qué?

—Un tipo. Ha sido cerca de mi casa, en el patio del cuartel de la GPU. Alrededor de las dos han llevado a un hombre. Parecía idiota. Le han puesto contra la pared y le han metido unas balas en el cuerpo. Dicen que es un montañés que hacía cruzar la frontera a los aficionados...

Habían llegado cerca de la refinería.

—¿Dónde quiere que le deje?

—Aquí.

Adil Bey estaba lívido. Por un instante permaneció indeciso cerca del estribo.

—¿Llevaba bigote? —preguntó haciendo un gran esfuerzo.

—Un enorme bigote negro, como los campesinos de su país.

—Muchas gracias.

—¿Y Nejla?

Pero Adil Bey ya no le oía. Andaba aprisa, a pleno sol, con un zumbido en la cabeza, como si acabara de atravesar una nube de moscas. Una barrera volvió a detenerle, pero a fuerza de rodeos llegó ante los edificios donde solía ver al jefe del negociado de extranjeros. La puerta estaba abierta. Todas las puertas interiores también.

No obstante, a pesar de que anduvo, llamó y entró en diez o doce despachos, no encontró a nadie.

Cuando volvió a salir a la calle la ceremonia ya debía de haber terminado, porque el gentío se estaba deshaciendo, ahora salpicado por cientos de marineros que deambulaban en grupos de tres o cuatro, con el cogote afeitado, la piel de color rosa, con el aire de jóvenes bien alimentados.

Todos eran rubios, altos, anchos de hombros, un poco gordos. Eran muchachos del norte, de las orillas del Báltico, pero sonreían a la ciudad, al sol, a las banderas rojas y a las banderolas.

¡Una verdadera fiesta! Algunos acompañaban ya a muchachas vestidas de blanco, con alpargatas, que trabajaban en el puerto y en la refinería.

Adil Bey buscó a Sonia. Entró en el consulado para asegurarse de que no estaba en su casa, pero las ventanas de los Kolin seguían cerradas.

Súbitamente tomó una decisión, y unos instantes después llamaba a la puerta del consulado de Italia.

—Le ruego que entregue mi tarjeta al señor Pendelli.

Se oían ruidos procedentes de la terraza. El criado le rogó que subiera, y le recibió la propia señora Pendelli, amable y cordial como si entre ellos nunca hubiera existido el menor equívoco. Pendelli hasta se levantó del sillón en el que estaba tumbado con un traje de hilo color crema. Una voz preguntó zalameramente:

—¿Y a mí? ¿No se me saluda?

Era Nejla, que estaba comiendo unos pastelillos.

—Nos ha tenido olvidados durante mucho tiempo —murmuró Pendelli, aparentemente sin ironía.

La terraza era clara. Habían servido el té como la otra vez. Adil Bey observó que en el balcón, junto a la bandera italiana, colgaba también la soviética.

—¿También ustedes lo celebran? —se extrañó.

—Es una necesidad. ¡Ya que nuestros gobiernos reconocen a los sóviets! ¿Y usted?

—No sé. He venido para preguntarle...

—¿Una taza de té? ¿Una naranjada? —ofreció la señora Pendelli, que tenía los hombros bronceados por el sol.

—Gracias. Me han dicho que acaban de fusilar a un hombre. Un ciudadano turco. Esta mañana ha estado en mi despacho.

Pendelli encendió un delgado cigarrillo y expelió el humo con aire indiferente.

—¿Qué es lo que quiere saber?

—En primer lugar si es verdad. Y luego...

Pendelli apretó un timbre. Entró un funcionario con gafas de concha, y el cónsul le habló en italiano. El hombre, después de dirigir una rápida mirada a Adil Bey, asintió con la cabeza.

—Es verdad —dijo el cónsul—. Le han detenido en el andén de la estación, cuando estaba esperando el tren de Tiflis.

—Siéntese, se lo ruego —insistió la señora Pendelli.

Se sentó maquinalmente. Pero no podía estarse quieto. Necesitaba tranquilizarse. Una vez hubo salido el funcionario, confesó, después de haber mirado ansiosamente a su alrededor:

—Esta mañana me ha confiado que ayudaba a pasar la frontera a los que querían ir a Turquía.

—¿Y qué?

—Sólo me lo ha dicho a mí, en mi despacho.

—¿Estaba usted solo?

—Sí, solo. Bueno, también estaba allí mi secretaria...

Nejla se echó a reír.

—¡La hermana del jefe de la GPU marítima! —exclamó.

Pendelli se encogió de hombros.

—¿Qué quiere que le diga?

—¿No cree usted que podían estar siguiendo a aquel hombre desde hacía tiempo?

—No.

—¿Por qué?

—Porque entonces no le hubieran dejado hablar con usted.

—¿Le apetece un pastelillo, Adil Bey?

—No, muchas gracias. Tienen que disculparme. Es la primera vez que...

—¿Que oye hablar de un fusilado? —suspiró Pendelli—. Pero, mi pobre amigo, todos los meses hay unas cuantas personas que desaparecen de la circulación. ¿Cree que alguien se preocupa por ello? ¡Por favor! ¡Un padre que ve cómo detienen a su hijo ni siquiera se permite preguntar por qué!

—¿Qué haría usted en mi lugar?

—Absolutamente nada. El hombre está bien muerto, ¿no? Sea lo más amable posible con su secretaria y no le hable de esta historia.

Desde hacía unos instantes Nejla observaba atentamente a Adil Bey.

—Tal vez nuestro amigo haya sido demasiado amable con ella —articuló con una sonrisa maligna.

—¿Qué quiere usted decir?

—Que es bastante agraciada, y que es la primera vez que veo a una mecanógrafa rusa ocuparse de llevar la casa de su jefe.

Pendelli sonreía a su cigarrillo.

—No te metas con Adil Bey —dijo su mujer—. Ya sabes que no le gustan las bromas.

—En cualquier caso —concluyó Nejla—, si no es una broma aún no ha resuelto el problema.

—¿Sabe lo que debería hacer antes que nada? —Esta vez Pendelli prescindía de la ironía. Estaba claro que hablaba en serio—. Vaya corriendo a su casa e ice la bandera roja.

—Muy agradecido. Les pido disculpas por esta intrusión.

—¡No se lo tome así! Siempre tendrá abiertas las puertas de esta casa.

Pero, cuando ya estaba en la acera, oyó estallar la risa de Nejla, y luego oyó la voz ahogada del cónsul que susurraba.

—¡Chist! Puede oírla.

—¿Y a mí qué? —replicó ella.

Unos policías a caballo regresaban de la manifestación. Trotaban por la estrecha calle, que parecía vibrar con el ruido de los cascos. Y marineros de cuello azul, muchachas vestidas de blanco, toda una multitud se deshilachaba camino del puerto, bajo el sol, una multitud que Adil Bey tenía que atravesar oblicuamente para ir a su casa, a izar la bandera soviética.

Esta vez la ventana de enfrente estaba abierta. Veía a Sonia de pie, ante el espejo, con un vestido negro que su cuñada, de rodillas, con alfileres entre los labios, acababa de ajustar. Era un vestido de raso negro, adornado con volantes aún rígidos.

Al oír el ruido que hizo al izar la bandera, Sonia volvió la cabeza, sonrió, pero muy levemente, muy aprisa, con una sonrisa furtiva que no tardó en borrarse, y luego habló con su cuñada, que se levantó para cerrar la ventana.

Aún se oía una charanga en las calles, y Adil Bey estuvo a punto de no oír el timbre del teléfono. Cuando descolgó el aparato, ya habían cortado la comunicación.

7

No rechistó, ni siquiera tuvo la veleidad de sonreír, cuando la señora Pendelli, que guardaba las cartas en un cofrecillo, le dijo:

—¿Sabe usted, Adil Bey, que se está convirtiendo en un buen jugador de bridge?

Pendelli echó hacia atrás su sillón, se repantigó en él y encendió un cigarrillo con boquilla de color rosa. Era la hora en que solía entornar los ojos, bostezar, suspirar, hasta que alguien daba la señal de la partida. Pero, por el contrario, esta vez dijo a John, que llevaba una camisa de cuello abierto:

—Sírvase otro whisky.

Habían encendido la inmensa estufa de porcelana. Se oía el ruido de la lluvia y a veces el breve crepitar de un canalón del tejado que se vaciaba. El salón estaba iluminado por lámparas de petróleo, porque a aquella hora ya habían cortado la corriente.

—¿Se ha ido nuestro amigo persa en el tren de la mañana? —preguntó John sirviéndose de beber.

—Con dos hombres en su compartimento —respondió Pendelli con placidez—. ¿Sabe usted cuántos tapices de valor ha conseguido hacer pasar al otro lado de la frontera en menos de un año? ¡Ciento ochenta! Para no hablar de los samovares, de los iconos y de objetos de arte de todas clases.

Se volvió hacia Adil Bey.

—A su Fikret le pillaron ayudándole. Habían discutido la operación en este mismo salón, junto a la chimenea. ¿Se acuerda? Al día siguiente a Fikret le pusieron a la sombra, sin hacer ruido, y no se ha vuelto a oír hablar de él. En cuanto a Amar, los soviéticos han pedido al gobierno persa que le reclamara urgentemente, y se ha ido esta mañana con una escolta.

—¿Es verdad que su mujer se ha quedado? —quiso saber la señora Pendelli.

—No es su mujer, sino una cualquiera que conoció en Moscú cuando era secretario en la legación. No ha podido acompañarle a Persia.

El aire estaba tibio y suave. Se sucedía algo así como vaharadas de sueño, y las pantallas de las dos lámparas eran de un rosado cremoso de sorbete. Pendelli volvía a estirar las piernas, como si se desperezara.

—¡Un día más! —se extasió.

—¿Pasarán la Navidad en Italia?

—El *Aventino* llega a Génova el 22, y el 23 estaremos en Roma.

Su sonrisa se dirigía ya a Génova, a Roma, a su casa. Se iba con un permiso de dos meses, y ello bastaba para que ya no tuviese sueño, y también para que viese con despego las cosas de la URSS. Incluso sentía la necesidad de hablar de ellas, para aumentar así la alegría que experimentaba al irse.

—¿Acaba usted de volver de Novorossisk, John? ¿Es verdad que la semana pasada allí se comían niños?

—Para ser exactos —precisó John—, la policía recibió una denuncia. Fue a la dirección indicada y encontró a un hombre sentado en un sótano, cerca de unos saladeros que contenían los restos de su mujer y de su hija. Tuvieron que matarle, porque defendía rabiosamente lo que consideraba como propiedad suya. Se había vuelto loco.

—¿Qué opina usted, Adil Bey?

—No opino.

—Nuestro amigo Adil ha cambiado mucho en tres meses —se admiró la señora Pendelli—. Los primeros días yo no creía que resistiese. Y no obstante se ha adaptado. Incluso me parece que ha llegado a engordar.

Era verdad. Había engordado. Pero no era un indicio de buena salud. Había criado una carne espesa y blanda que le envejecía, y su mirada era más ensimismada, más nebulosa.

—En resumen, ¡será usted el único que represente aquí el cuerpo consular!

Esbozó una sonrisa cortés. Desde que, semana tras semana, acudía a la reunión de bridge de los italianos, la señora Pendelli era muy amable con él. Parecía haberle tomado bajo su protección, y era ella quien prohibía a su marido que le hiciese objeto de sus bromas.

—Les dejo —dijo John apurando su vaso—. Supongo que nos veremos antes de que se vayan, ¿no? Además, estaré en el barco. ¿Viene usted, Adil?

Como siempre, se encontraba en un estado de semiembriaguez. Se pusieron el impermeable y los chanclos, y echaron a andar por entre el fango, chapoteando, mientras la lluvia les lavaba la cara. Desde el comienzo del otoño llovía todos los días, sin dar un respiro, sin un rayo de sol, y algunas calles se habían convertido en torrentes.

—Oígame, Adil...

De vez en cuando, las dos siluetas relucientes chocaban entre sí, porque los dos hombres trataban de evitar un charco o porque uno de ellos resbalaba.

—Diga.

—Usted bebe, ¿no?

—¡No! ¿Por qué me lo pregunta?

—Por nada. ¿Pasamos un momento por el bar?

Adil Bey sabía muy bien lo que pensaba John. Como había dicho la señora Pendelli, él había cambiado, y el norteamericano creía que la causa era el alcohol.

Pero no era así. El propio Adil no hubiera sabido decir exactamente qué es lo que había pasado. Todo empezó el día de la muerte del turco que se dedicaba a pasar gente por la frontera. Adil Bey se sintió muy agitado, pero, bruscamente, se tranquilizó, como si en su interior se hubiese roto algún resorte.

Al día siguiente no dijo nada a Sonia. Ni le dirigió la palabra durante todo el día. Durante dos semanas no le pidió ni una sola vez que pasara la noche con él.

Y su rostro, en medio de la soledad más absoluta, fue adquiriendo poco a poco esa blanda impasibilidad que John confundía con una forma de embriaguez.

Era otra cosa, pero no era tampoco la indiferencia, ni la decisión.

Apenas llegar a Batum, visitó a los Pendelli dispuesto a compartir una pequeña parte de su vida, pero se encontró con un ambiente hostil. Vagaba por las calles mezclándose con el gentío, y el gentío se apartaba para dejarle pasar evitando todo contacto. Se había aferrado a Sonia con rabia, desesperadamente. Y desde que era su amante nunca la había sentido tan lejos de él.

¿Se debía a que era turco, y ellos rusos o italianos? ¡Hasta el persa se había mostrado siempre receloso!

¿O se debía sencillamente a que era Adil Bey?

En cualquier caso, cada vez que había tratado de vivir, lo que él siempre llamó vivir, había chocado violentamente con unas paredes.

Hasta el punto de que, sin proponérselo, se había convertido en algo inerte, tanto o quizá más que los que le rodeaban. ¡Era tan fácil! Para eso no se necesitaba la ayuda de nadie. Uno llevaba consigo su soledad hasta cuando se iba de visita, por ejemplo a casa de los Pendelli, o cuando iba a las oficinas del negociado para extranjeros.

Era una nube protectora en medio de la cual se andaba, con una expresión hermética.

¿Cómo no había comprendido desde el primer día que aquí todo el mundo estaba incomunicado de esta manera? John se encerraba en sí mismo a fuerza de alcohol. Los Pendelli se atrincheraban en su comodidad burguesa que eran capaces de llevar consigo hasta el pleno desierto.

¡Y Sonia! ¡Y Kolin! ¿Acaso Kolin cuando volvía a su casa tenía alguna intimidad con su mujer?

En el restaurante cooperativo cada cual comía en su rincón, con sus pensamientos bien protegidos bajo la frente. ¿Y la muchedumbre? ¿Es que solamente era una muchedumbre que daba media vuelta al llegar a la altura del hombrecillo negro de la bola del mundo?

El era como los demás, eso era todo. Tenía su rincón desde el que ahora miraba a la gente con la desconfianza de un animal solitario.

John y él seguían chapoteando en medio de aquella noche de lluvia, y cuando llegaron al bar aún quedaban tres busconas guareciéndose en un portal. El norteamericano las saludó familiarmente con la mano.

—¿Las conoce?

También se podía hablar, e incluso jugar al bridge, pero sin creer en lo que se estaba haciendo, cada cual a lo suyo.

Era un decorado hermoso, muy lúgubre, como a Adil Bey empezaban a gustarle: el letrero luminoso que alumbraba un pedazo de calle embarrada, los trazos de la lluvia, las tres muchachas que llevaban botas de caucho y cuyo maquillaje se deshacía por obra del agua, luego la negrura del puerto, unas cuantas luces de los barcos, John que se paraba en el momento de cruzar el umbral y que miraba a Adil Bey con ironía.

A aquella hora, los dos debían de tener un aspecto igualmente lamentable, empapados, con cara de cansancio, la carne enferma de hastío, y con la sensación de un derrumbamiento lento y fatal. Se espiaban. Se despreciaban. John miró a las busconas, y luego a Adil Bey.

—Las conozco a todas —declaró.

Parecía querer atravesar con la vista las paredes de la ciudad señalando una multitud de alcobas invisibles.

—¡Centenares, Adil Bey! Calcule, a razón de una por día durante cuatro años...

Empujó la puerta y dejó que el criado le quitara el impermeable. Adil Bey aún no había pensado en aquello. Trató de imaginarse a John perdiéndose por las callejuelas del brazo de una prostituta.

—¿Les da rublos?

—Prefieren los dólares, porque con dólares pueden ir a Torgsin, donde no aceptan dinero ruso, y allí siempre hay pan y de todo.

—¡Centenares! —repitió Adil Bey, que sólo había visto las del bar y el grupito de la calle.

Permanecían de pie cerca de la colgadura roja, indiferentes a la sala, en la que había unos cuantos marinos.

¿Por qué John, lo mismo que Pendelli, hablaba a Adil Bey con aquel aire de condescendencia?

—Y hay centenares más que no conozco, una gran cantidad de mujercitas como la secretaria de usted, que apenas ganan para comer y que se pintan los labios. En los tiempos de su predecesor éramos dos a deambular por la noche. A veces nos encontrábamos, cada cual bien acompañado, en la misma calle, en la misma casa, en el mismo pasillo. Me sorprendería que su amiguita no fuera también una de ésas...

La sala estaba iluminada por el disco amarillo de la batería. Sólo destacaba el blanco de los manteles de las mesas en el ambiente apenas luminoso, y cuando las mujeres pasaban delante del pergamino, el azul o el rojo de los vestidos se convertía en algo irreal como los colores de una vidriera.

—¿Whisky?

—Como quiera.

John le miraba con una satisfacción irónica, y Adil Bey ni siquiera se daba por aludido, absorto en la contemplación del disco de luz amarilla.

¿Acaso no hubiera podido andar entre mujeres, como el norteamericano? ¿O disponer de un piso cómodo como los Pendelli? Ambas cosas eran fáciles. ¿Por qué no lo hacía?

Una voz que le era familiar exclamó cerca de él:

—¡Bienvenido, mi querido Adil!

Era Nejla, que reía al ver su sorpresa mientras le tendía la mano.

—¿Le importa que me siente? Estamos de juerga, ¿eh, granuja? Camarero, un benedictino. ¿Sabe usted, Adil Bey, que voy a necesitarle, oficialmente, como representante de Turquía?

John lucía una sonrisa feroz, y Nejla le tomó por testigo con la familiaridad de una antigua amiga o de una cómplice.

—¿Le ha contado usted...? Pues, verá, Adil. Usted siempre ha creído que yo era persa, cuando en realidad, aunque nací en Rusia, soy turca. Mi abuelo era de Ankara y se llamaba Ahmed. Necesito que me ayude a reunir los papeles necesarios y que me consiga un pasaporte.

—Ya veremos —dijo él vaciando su vaso.

Miraba a John y a la mujer enervadamente, y se preguntaba si, por ejemplo, tendría valor para bailar. Aún no hacía un año que en Viena, donde la música era la misma, con un jazz parecido hasta en la luz había estado bailando noches enteras.

Ya no le apetecía. ¡Ni tampoco Nejla, con la que podía acostarse si se le antojaba! Ni otras mujeres que estaban allí, y de las que al menos dos eran atractivas.

Tal vez sólo se tratase de un profundo cansancio.

—¿Cuándo puedo ir a verle?

—Cuando quiera.

—¿Aún conserva su ratita blanca?

El no comprendió, y la miró con sorpresa.

—¡Su chica rusa! —precisó Nejla, mirando nuevamente a John.

—Sí.

—¿Contento?

—¿De qué?

—Pues de ella.

Se encogió de hombros con tanta flema como el propio John. Todo aquello no significaba nada. Ella hablaba por hablar, y él no tenía ganas ni de hablar. Se sentía embotado por el alcohol y por la música. Podría quedarse así horas y horas, pero ya los camareros despejaban las mesas.

Se levantaron. Nejla quiso cogerse del brazo del cónsul, pero él se soltó sin violencia.

—¿No me acompaña a casa?

—No.

—¿Y usted, John? ¿Ha traído su coche?

—No.

Había que irse, cada cual por su lado. Ya no quedaba ninguna mujer junto a la puerta. Las lámparas del rótulo se apagaron.

* * *

Adil Bey dejaba chorrear la lluvia por su rostro. No miraba por donde andaba, y tenía los pantalones empapados y fangosos hasta las rodillas. A su derecha se oía el susurro del mar, pero no se podía ver, ni siquiera un reflejo en el agua.

Ahora conocía todas las calles de la ciudad, y hasta los soportales donde por la noche los vagabundos dormían unos junto a otros, sobre las piedras del suelo.

También conocía a esos vagabundos. ¡Lo conocía todo! Había entrado en las cooperativas, en las tiendas, en las oficinas.

No tenía nada que ver con todo eso. El era cónsul de Turquía, y sólo debía ocuparse en el mejor de los casos de los asuntos de la gente de su país.

Y sin embargo, se había convertido en una necesidad, en una pasión. Para él la ciudad era algo vivo, un ser personal que se había negado a acoger a Adil Bey, o, mejor dicho, que le había ignorado, que le había dejado vagar, completamente solo, como un perro sarnoso.

La detestaba como se detesta a una mujer a la cual uno ha hecho proposiciones en vano. Se ensañaba descubriendo sus taras. Era una pasión triste, sin contrapartida de alegrías.

«Todo el mundo puede trabajar. Nadie pasa hambre», decía Sonia. ¡Y precisamente Sonia era la encarnación misma de la ciudad! Fría y secreta como ella. Aceptaba sus caricias del mismo modo que la muchedumbre le permitía vagar, a la caída de la tarde, desde la estatua de Lenin hasta la refinería.

Entonces Adil Bey se paseaba recelosamente por el mercado. Veía a una vieja andrajosa que durante horas, bajo la lluvia, ofrecía a los que pasaban tres pececillos medio podridos. No se desalentaba. Pero ¿acaso había tenido alguna vez esperanzas?

—¿Cuánto? —le preguntó.

Porque se había hecho con una gramática rusa y un diccionario, que puso sobre su escritorio con una vaga intención de desafío. Había aprendido unas cuantas palabras rusas.

—Cinco rublos, camarada.

Un hombre de cuarenta años, durante un día entero, trataba de vender, uno a uno, los veinte cigarrillos de una cajetilla.

Adil Bey tenía una sonrisa sardónica porque pensaba en los marinos bien alimentados, en el club de Sonia, en su vestido de raso negro para el baile de la flota y en sus respuestas tranquilas, en el hombre que ayudaba a pasar clandestinamente la frontera y al que habían fusilado. Se apresuraba a volver a su casa. Sin volverse siquiera hacia la joven, decía:

—En el mar Negro abunda la pesca, ¿verdad? O sea que supongo que el pescado será barato.

—Muy barato.

—¿Cuánto cuesta?

—Un rublo o dos el quilo.

—Es curioso. En el mercado acabo de ver cómo venden tres miserables pececillos por cinco rublos.

Sabía que ella le estaba dirigiendo una mirada inquieta. La oía arrugar unos papeles.

—Porque esto es el mercado libre, y nosotros queremos suprimir el comercio —decía—. Pero en la cooperativa...

—En la cooperativa no hay pescado. Acabo de estar allí.

—A menudo lo hay.

—Ni siquiera una vez a la quincena.

—Eso depende de la pesca.

La primera vez él esperaba verla llorar. No sabía por qué, pero esta reacción le hubiese aliviado. Había probado la experiencia de pedirle que fuese a su casa aquella misma noche, y ella había acudido, dócil y serena.

¿Por qué iba a su casa? ¿Para descubrir mejor a otras

personas a quienes hacer fusilar? ¿Tal vez para encontrar algún motivo para fusilarle a él?

¿A ella qué más le daba estar en sus brazos o en los de otro? ¡No quería a nadie! Seguía su camino sin desviarse, tiesa y orgullosa, con el mismo paso, con sus ojos claros de chiquilla inocente o supremamente perversa, que se clavaban en todo, personas y cosas, sin más expresión que la curiosidad.

El había hecho un sinfín de descubrimientos en el curso de los interminables días que había dedicado a vagar por la ciudad. Algo que le fatigaba sobre todo porque una vez en la calle no había ningún café ni ninguna casa donde pudiera refugiarse. Cuando hacía preguntas, la gente se alejaba con horror. Otros respondían muy aprisa y se iban. Un niño al que dio un rublo, un poco más lejos recibió un bofetón de un transeúnte que había presenciado la escena y que tiró el rublo a la calle.

A veces, como en esta ocasión, Adil Bey sentía miedo; pero con mayor frecuencia se veía a sí mismo como un hombre que trata de satisfacer una pasión vergonzosa.

¿Por qué le mentían?

Volvía de sus paseos de mal humor, con un nuevo botín.

—Hace tres semanas que nadie ha comido una patata en Batum. Durante este tiempo, en el Hotel Lenin, donde se hospedan los altos funcionarios, sirven caviar fresco, champaña francés, *chachliks*.

—Eso es para los extranjeros.

—¡Aquí no vienen ni dos extranjeros al año!

—¿Me va a decir que en su país los ministros no comen mejor que los aguadores?

El trataba en vano de determinar cómo había empezado todo aquello. En cualquier caso, el hombre al que había fusilado la GPU era el punto de partida. El drama casi se había desarrollado en el consulado. ¡Y no quería hablar delante de Sonia! ¡Fue él, Adil Bey, quien impidió que saliera la rusa!

Tal vez luego hubiera debido ponerla en la calle. Pero ¿qué hubiera pasado?

Desde entonces, daba vueltas en torno a ella, torturado, agresivo, desalentado, a veces con pánicos dolorosos. ¡Porque ella llegaría a odiarle! Y ese odio es lo que él buscaba en sus ojos, lo que, a pesar suyo, trataba de provocar.

¡Y John convencido de que bebía! ¡Y la señora Pendelli le felicitaba por su buen aspecto y por sus progresos en el bridge!

* * *

Adil Bey empujó la puerta y encendió una vela, luego repitió los gestos que hacía todos los días, por el mismo orden. ¿Acaso esta regularidad no creaba una especie de intimidad para él solo, e incluso a veces como un embrujamiento?

Primero se sentó en el sillón y se quitó los chanclos de goma y los zapatos. Después, se quedaba por unos instantes en calcetines, contemplando las sombras móviles del cuarto, la llama de la vela, la fachada de enfrente.

Sonia dormía. Su hermano también, lo mismo que su cuñada.

Mañana hablaría con el tipo de Novorossisk, y su secretaria, desencajada, se debatiría contra la evidencia. ¿Qué había dicho la señora Pendelli aquella noche, poco antes de que llegara John?

¡Ah, sí! Hablaba de sus vacaciones en Italia, y comentó:

—Hace cuatro años que John está aquí, y aún no se va. ¿No les parece extraño?

Y había añadido, mirando hacia otra parte:

—Está mejor informado que nosotros sobre todo lo que pasa, y nadie le ha molestado nunca.

¿Es que también John lo era? ¿Por qué no? ¡Ahora resultaba que Nejla no era la mujer de Amar, sino una buscona de Moscú!

¿Qué más daba al fin y al cabo? Bastaba con imitar a los demás, a todo el mundo, a la gente de la calle, a los de las oficinas, e incluso a Kolin y a su mujer: no decir nada. Uno se construye su madriguera. Se crea sus costumbres. Incluso no llega a pensar más que fragmentariamente, de una forma vaga, como se sueña.

Quince días atrás, cuando Adil Bey fue al negociado de extranjeros, le anunciaron súbitamente:

—¡Le hemos encontrado una asistenta!

Lo comprendió antes de que Sonia tradujese. No hizo el menor comentario.

—Gracias —se limitó a decir.

En cuanto a la asistenta, aún no le había dirigido la palabra. Llegaba por la mañana. Hacía como que limpiaba el despacho y llenaba el jarro de agua. Hasta la hora del almuerzo permanecía en la alcoba y en la cocina, que seguían tan sucias como antes.

Por la tarde, si volvía de improviso, casi siempre la encontraba con otras mujeres o con un hombre, y él fingía no darse cuenta.

¿Acaso habían considerado repentinamente que Sonia no bastaba para vigilarle?

Sin levantarse del sillón, se deshizo el nudo de la corbata y se desabrochó el cuello postizo; según sus cálculos, hacía exactamente tres semanas que no había pedido a Sonia que le visitara por la noche.

¡No estaba mal! La primera vez sólo había resistido quince días. Pero cuando ella acudió, tal vez con esperanza en su sonrisa, él no se dejó conmover. Después de estar apresuradamente con ella, le dijo:

—Tengo que irme.

Y semana tras semana estuvo aprendiendo a jugar al bridge en casa de la señora Pendelli, quien le mostraba afecto, y repetía sinceramente:

—Ustedes, los turcos, son gente misteriosa.

Si hubiera dispuesto de su bromuro hubiese podido dormir por la noche. Se lo habían enviado desde Estambul. Le llamaron a su despacho y le enseñaron el paquete de cien gramos que llevaba la marca de una gran farmacia al lado de la cual había vivido durante dos años.

—¿Para qué quiere todo eso?

—Tengo insomnio. Fue su médico quien me recetó el bromuro.

—¿Y si hiciera ejercicio, si diera un largo paseo antes de acostarse?

—Ya le he dicho que me lo recetó el médico.

—Pero seguro que no le dijo que tomara cien gramos.

—No, pero he preferido tener cierta cantidad en reserva.

—En este caso entregaremos el paquete al médico, y él le irá dando pequeñas dosis a medida que las necesite.

No protestó. Sin embargo, cuando el médico le llevó unas bolsitas que contenían un poco de polvo blanco, las arrojó a la estufa. Era lo más prudente.

Eso significaba quedarse hasta las dos o las tres de la madrugada en su sillón. El tiempo de que se consumiese media vela. Cuando estaba a medias, se acostaba y apagaba la luz. Por la mañana tiraba al fregadero el té preparado por la asistenta, y él mismo abría, como al principio, un bote de leche condensada.

Durante horas enteras paseaba sin rumbo fijo. Iba a ver cómo descargaban las mercancías de los cargueros, y cuando nadie le observaba, hacía una pregunta en ruso a alguna de las mujeres que se dedicaban a aquel trabajo.

—¿Cuánto gana una de esas mujeres que trabajan en el muelle? —preguntaba a Sonia a su regreso.

—Al menos diez rublos al día.

—¿Se puede vivir con eso?

—Claro que sí. Sobre todo ellas, que no gastan nada en vestirse.

—¿Y con tres rublos?

Ella vacilaba antes de responder.

—Ya es más difícil, ¿verdad? Aunque sólo lleven un vestido de algodón y un taparrabo, como llevan esas muchachas. ¡Pues bien, ganan tres rublos!

—¿Quién se lo ha dicho?

El callaba, y daba vueltas y más vueltas por el despacho. A veces la miraba a hurtadillas y la veía pálida, estrecha de hombros. ¿Acaso no sabía que si tenía la carne fofa era porque también ella estaba mal alimentada?

Un día ella le dijo con voz insegura:

—Adil Bey, permítame darle un consejo. Todos los días abre usted latas de conserva. Se come una sardina, un poco de atún, y a veces ni lo prueba. Esto causa mal efecto.

—¿Y si no tengo hambre?

—Escóndalas. Tírelas usted mismo en algún sitio.

Esta vez ella desvió la mirada, y él estuvo a punto de dejarse conmover.

—¿Vienen a repartírselo cuando yo no estoy? —gruñó sin embargo.

—¿De quién habla?

—De las personas que encuentro en el piso cuando vuelvo sin avisar.

—¡Claro que no! Sin duda son parientes de la mujer de la limpieza. Sé que tiene un hijo ya mayor.

—¡Un hijo ya mayor que curiosea mis expedientes!

—¿Cómo lo sabe?

—Le he visto.

Sonia no tenía más que un recurso, siempre el mismo.

—¿Es que los criados no son curiosos en su país?

Habitualmente estaba pálida, pero él estaba seguro de que cada vez palidecía más. La última vez en que, después de haber estado dando vueltas durante una hora a su alrededor, tratando de resistir, le pidió que acudiese aquella noche, ella balbuceó:

—¿De verdad quiere que venga?

El repuso que no. De eso hacía ya tres semanas.

La vela estaba mediada y Adil Bey se levantó sin un suspiro, entró en su cuarto y empezó a desnudarse. No había mandado poner cortinas. Veía gotas oscuras resbalando sobre la negrura de los cristales. Por enmedio de la calle corría un verdadero arroyo, con la misma música que un riachuelo del bosque. Enfrente la ventana sólo estaba entornada.

Se acostó y apagó la luz. Se quedó con los ojos abiertos, como todas las noches. Veía a Pendelli rebosante de alegría hasta el punto de no bostezar para dar la señal de partida, rebosante de alegría porque al día siguiente se iba a bordo del *Aventino*.

Junto con la cara de Pendelli vio al hombre de Novorossisk sentado, adusto, cerca de los saladeros que defendía de los intrusos.

Al día siguiente tenía que acordarse de hablar de él a Sonia, pero estaba seguro de que ella tendría alguna respuesta. ¿Qué podría ser? ¿Que también en otros países había hambre? En este caso le enseñaría fotografías de los bazares de Estambul, con millares de tenderetes en los que había montañas de vituallas... ¿Había visto ella alguna vez corderos enteros ensartados en espetones y girando sin cesar en plena calle? ¡Por pocas piastras podía comprarse un plato lleno!

¿Cuántas veces al mes comía carne Sonia? Y estaba en la edad en que la mujer se forma. Sus pequeños pechos tenían ya tendencia a caer. Su carne era blanca.

¿Por qué adoptaba aquella actitud categórica?

¿Por qué le desafiaba? ¡Hubiese sido tan fácil ser buenos amigos, hablar francamente con el corazón en la mano! ¿Y por qué le miraba con curiosidad, incluso a veces le parecía que con una compasión apenas disimulada, cuando la estrechaba entre sus brazos?

A veces a él se le empañaban los ojos de emoción al pensar que estaban allí los dos, apretados el uno contra el otro, y entonces ella le preguntaba fríamente:

—¿Qué le pasa, Adil Bey?

¡Peor para ella! Porque aquello no iba a durar mucho.

Ya no era la misma. Tenía ojeras. Ahora se estremecía al oírle repentinamente a sus espaldas. En invierno llevaba el mismo vestido negro que en verano, el mismo sombrero, con un delgado abrigo de cheviot que compró el año anterior. Dos o tres veces la sorprendió en el consulado tejiendo guantes de lana.

Las mujeres del bar estaban mejor alimentadas. Pero ¿acaso John no le había dicho que después de dos o tres meses de servicio las devolvían a Moscú para impedir que hicieran amistades?

Mataron a una, de un balazo —John también contaba esta historia—, porque hizo confidencias a un oficial de marina belga. Adil Bey se olvidó de contarle aquel asunto a Sonia. Ella debía de saberlo. Lo sabía todo. ¡Pero quería obligarla a oír aquellas cosas de sus labios!

Había ocasiones en que, de un momento a otro, la lluvia arreciaba hasta caer como una catarata. El ruido del arroyo se intensificaba también al instante. Eso duraba unos minutos, como máximo un cuarto de hora, luego volvía a caer de nuevo la lluvia monótona.

La casa de enfrente era clara, con el agujero negro de una media ventana que Adil Bey podía ver desde su cama.

Sonia estaba en aquel agujero. John le había hablado

de ella. Nejla también. Todo el mundo le hablaba de ella, como si no existiese más que aquella pálida muchacha en toda la ciudad.

¡Y las había a cientos! Ahora también eso lo sabía.

En cuanto a Sonia, iba agotándose, estaba seguro. Flaquearía antes que él.

Cambió de lado en el mismo momento en que tuvo la impresión de deslizarse por una abrupta pendiente, y en el que se durmió. No obstante, el crepitar de la lluvia le perseguía, aunque convirtiéndose en la crepitación de la máquina de escribir, y la secretaria, ojerosa, terminando de mecanografiar una frase, se volvía a medias esperando que continuase el dictado.

¡Tenía que acordarse de hablarle del hombre de Novorossisk!

8

Al día siguiente Adil Bey no llegó a decirle a Sonia nada de cuanto se había propuesto decirle, y ni siquiera habló del hombre de Novorossisk.

Durante la noche había sudado mucho, aunque apenas solía taparse, y eso le ocurría cada vez más a menudo. En ocasiones se preguntaba si antes sudaba de ese modo. Buscaba entre sus recuerdos. Pero no recordaba haber tenido esos despertares de trasudor, con las sábanas empapadas.

Lo que no recordaba sobre todo era levantarse más cansado que la víspera. Ahora le pasaba todos los días. Permanecía un buen rato con la mirada fija antes de sentirse con ánimos para vivir. Era desagradable. Sentía un sabor amargo en la boca, de un amargor desconocido.

Aquella mañana se le llenaron de sudor la frente y las sienes sólo con levantarse y dirigirse al baño. Seguía lloviendo. El aire que se filtraba por una hendidura de la ventana olía a humedad. Se adivinaba a la señora Kolin que se vestía en la casa de enfrente, detrás de sus cortinas.

Adil Bey se miró al espejo antes de coger el jarrón y echar agua en la palangana. Advirtió también que tenía la barba más espesa que antes, se dijo que era imposible, aunque finalmente recordó que la barba de los muertos crece a una velocidad vertiginosa.

Se sonó, escupió en el pañuelo. Fue entonces, sin

transición, cuando todo cambió para él, cuando el pánico le invadió hasta la médula, le mordió en el vientre, le provocó náuseas.

No se atrevía a mirar el pañuelo manchado de rosa. Se miraba al espejo, temerosamente. Oía trajinar a la mujer de la limpieza en el despacho. Sonia no tardó en llegar, y las dos mujeres hablaron en ruso sin que pudiese entenderlas, pues hablaban demasiado aprisa para él. Adivinó el bolso que dejaba encima de la chimenea, el sombrero negro colgado en el perchero, los chanclos que se quitaba.

Cuando apareció con su arrugado pijama, los pies desnudos dentro de las pantuflas, Sonia se sobresaltó, él se dio cuenta y le causó placer pensar que inspiraba miedo.

—Vaya a buscar al médico enseguida.

—¿Está usted enfermo, Adil Bey?

—No lo sé.

No se afeitó, no se vistió, ni siquiera se lavó la cara, y cada vez que pasaba ante el espejo del lavabo se miraba a hurtadillas. Durante largo rato mantuvo la calma. Daba una serie de pasos sacudiendo la cabeza, con las manos a la espalda, y de pronto le asaltaba el mismo pánico que cuando vio el pañuelo, apretaba las mandíbulas de impaciencia, contemplaba la puerta como si poseyera el poder de hacer aparecer un médico.

—¡Pero si es un médico ruso! —masculló.

Un poco más tarde dijo en voz alta:

—¡Ya veremos!

Y desde entonces siguió. hablando solo.

—Hay que dejar que él mismo descubra mi enfermedad.

El médico llegó a la par que Sonia, que le había encontrado en el hospital. Adil Bey le condujo a su cuarto, cerró la puerta con llave y declaró:

—Reconózcame.

Tenía una amarga sonrisa al decir eso, como si estuviera jugando una mala pasada a su interlocutor.

—¿No se siente bien?

—Muy mal.

—¿Qué le duele?

—Todo.

—Saque la lengua... ¡Hum! Desnúdese de cintura para arriba.

Cuando su mejilla se pegó al pecho de Adil Bey, éste creyó que iba a gritar de nerviosismo.

—Respire... Tosa... Más fuerte...

La cara del médico era seria, pero no mucho más que de costumbre.

—¿Está seguro de que no abusa del bromuro?

Adil Bey sonrió maliciosamente, pero no confesó que no había llegado a tomarlo.

—Todos los órganos están cansados, como si...

—¿Cómo si qué?

—Como si durante largo tiempo hubiese abusado de algo, de un estupefaciente, o quizá del alcohol. ¿Usted bebe?

—Nunca. ¿Qué otra cosa podría ser?

—No lo entiendo. ¿No siente ningún dolor localizado?

Adil Bey le enseñó despectivamente su pañuelo.

—¡Esto es lo que tengo! —dejó caer.

Contrariamente a lo que esperaba, el médico miró el pañuelo sin gran interés.

—¿Es la primera vez que le pasa? Parece curioso, pero esto no prueba que esté tuberculoso. Auscultándole no le encuentro nada en los pulmones, pero si quiere quedarse tranquilo no tiene más que pasar por el hospital para una radiografía.

¿Por qué el médico cogió el vaso de agua que estaba encima de la mesilla de noche? Lo miró, olió, se volvió hacia Adil Bey, que aún no se había vestido, y se encogió de hombros.

—¿Qué me receta?

—En primer lugar suprimir el bromuro. ¿Come usted aquí? ¿Es su asistenta la mujer que he visto al entrar?

Y miraba a derecha y a izquierda con un aire intrigado, descontento. Adil Bey no le perdía de vista. Adivinaba. Esperaba una frase que aún no había oído.

—¿Cree usted que es la comida?

—Yo no he dicho eso. No hay ningún motivo para pensar que sea la comida.

—¿Entonces qué es?

—Vaya a verme al hospital. Allí le haré un reconocimiento más a fondo.

—¿No quiere decirme lo que piensa?

—Todavía no pienso nada.

Mentía. Prueba de ello es que se retiró tan precipitadamente que su mano no acertaba a encontrar el picaporte. Y no obstante en el despacho se detuvo para mirar a Sonia y a la asistenta.

—Venga al hospital —repitió a Adil Bey, que le seguía.

Había visitantes esperando. Sonia alzó la cabeza y preguntó:

—¿Recibirá hoy?

—Sí.

Dijo aquel sí como si profiriese una amenaza. Se vistió con movimientos voluntariamente precisos, sin dejar de espiarse en el espejo. Un poco más tarde se sentó a su escritorio y dijo con voz firme:

—El primero.

Nunca había sido tan tajante.

—¿Dice usted que su hija ha desaparecido y que cree que es un turco quien la ha raptado? Señora, yo no puedo hacer nada. No estoy aquí para buscar a muchachas que se dejan raptar. ¡El siguiente!

Al mismo tiempo escuchaba los ruidos que hacía la asistenta en su cuarto, y su mirada no se apartaba de Sonia. No se le podía escapar nada. Se sentía como dotado de antenas. Observaba la piel de su secretaria, que era tan pálida como la suya. ¡Pero no era la misma palidez! Además, ella tenía la piel seca, mientras que Adil Bey, al menor movimiento, hasta cuando no hacía calor, sentía húmeda la suya.

Sonia escribía. En dos o tres ocasiones levantó la cabeza para mirarle, y Adil Bey comprendió claramente que aquello no era espontáneo, que cada vez el gesto iba precedido de un esfuerzo.

¿Cómo se las arreglaba para pensar, observar y prestar atención a pesar de todo lo que le estaban contando? Interrumpía enseguida las largas explicaciones.

—¡En pocas palabras, por favor!

Y de ese modo el despacho estuvo ya vacío a las once.

—¿Qué hizo ayer por la noche? —preguntó brutalmente a Sonia.

Ella titubeó, tal vez sorprendida por el tono de la pregunta.

—Fui al club.

—¿Y después?

—¿Qué quiere decir?

—¿Dónde durmió? ¿En su casa o en casa de un camarada, como usted dice?

—En casa de un camarada.

Clavó en él sus ojos, dispuesta a sostener su mirada, pero la mirada se deslizó como el agua y fue a perderse en la grisura de la ventana.

—Puede irse.

—Aún no es la hora.

—¡Ya le he dicho que puede irse! —gritó—. Y esta tarde no la necesitaré.

Entró en su cuarto y volvió a salir al cabo de un minuto mientras ella se ponía el sombrero.

—¿Aún no se ha ido?

Sonia no respondió. El la vio alejarse, con los hombros estrechos, la silueta deformada por las botas de goma.

—Si me necesitara... —empezó, una vez ya en la puerta. Pero se calló viendo que no valía la pena hablar.

Adil Bey buscó la palabra «veneno» en el diccionario, luego las palabras «envenenamiento» e «intoxicación», y a cada paso repetía rabiosamente:

—¡Imbécil!

El imbécil era el diccionario o quien lo había hecho, porque los artículos sobre los venenos y el envenenamiento no explicaban nada. Buscó estricnina, arsénico, y desde entonces trató de definir el regusto que sentía casi siempre en la boca.

¿No era acaso ese amargor del que hablaban?

Lo seguro era que le estaban envenenando lentamente. ¿Desde cuándo? No lo sabía, tal vez desde su llegada. ¿No habían envenenado a su predecesor?

Algunos detalles volvían a su memoria. Recordaba las náuseas que atribuyó a las conservas. Pero, durante la guerra, ¿no se había alimentado de conservas a veces en mal estado sin caer enfermo?

¡Pero es que ni siquiera estaba enfermo! ¡Era peor! Perdía energía poco a poco. Se estaba volviendo flojo y abúlico. Por la mañana, al mirarse al espejo, sentía repugnancia de sí mismo.

¡Era arsénico! ¡O bien otra cosa, pero un veneno! El médico se había dado cuenta, y enseguida habló de bromuro y olió el vaso.

Adil Bey también lo olió, pero no notó nada, o, mejor dicho, no estaba muy seguro de su olfato. Porque ahora le sucedía a menudo que notaba muchos más olores que de costumbre. Olía su propia piel y creía percibir como un amargo efluvio.

—Muy bien —gruñó—. Mejor que sea así.

¡Al menos lo sabía! ¡Iba a actuar! Andaba de un lado para otro del piso pronunciando jirones de frases. De vez en cuando miraba la ventana de la casa de enfrente como un desafío. Su mirada se posó en el teléfono.

¿A quién podía telefonear? Los Pendelli estaban haciendo el equipaje, y al cabo de una hora su casa estaría vacía.

¿A John? El norteamericano le escucharía contemplándole con sus ojos turbios y bebiendo whisky. ¿Por qué, como decía la señora Pendelli, llevaba ya cuatro años en Batum sin tomarse nunca vacaciones y sin hablar siquiera de irse? ¿Por qué los soviéticos le dejaban libre cuando todos los extranjeros eran vigilados minuto a minuto?

—¡Oiga! Póngame con el hospital. —Telefoneaba al médico, por si acaso, para probar—. ¿Es usted, doctor? Soy Adil Bey. No, no he empeorado. Dígame, ¿le he hablado esta mañana de sudores abundantes? He olvidado decírselo. Hace varias semanas que los tengo. Y también una especie de angustia permanente, como si el corazón fuera a pararse de un momento a otro. ¡Déjeme terminar! Yo sé lo que me digo. Mi predecesor murió de un paro cardíaco, ¿verdad? ¿Se atrevería usted a afirmar que no fue a consecuencia de un lento envenenamiento por arsénico?

No comprendió nada de su respuesta. El médico debía de estar nervioso, y se oían otras voces además de la suya. Sin duda aconsejaba a Adil Bey que no se preocupase, que esperara la radiografía o algo por el estilo, pero lo decía con una voz que no era la que solía tener.

Adil Bey colgó, satisfecho, con la impresión de que le había destrozado. Porque ahora había que destrozarles. ¿A quién? ¡A todos!

Ante todo tenía que conservar la calma. ¡Estaba tranquilo! Incluso fue a admirar su serenidad ante el espejo, y luego abrió lentamente un bote de leche condensada que constituyó su almuerzo.

—¡Sólo falta eliminar el veneno!

Pero no sabía cómo. El aire libre debía de ser bueno, y también hacer ejercicio. Se puso el impermeable, los chanclos y salió, anduvo durante tres horas. Andaba a fuerza de voluntad, siempre al mismo paso, a pesar del cansancio. Seguía sudando. Su pulso era rápido. De vez en cuando se paraba en cualquier lugar, en medio de una calle, para recobrar aliento, y la gente le miraba con curiosidad.

¡Le daba lo mismo! Podían mirarle. El sabía muy bien lo que estaba haciendo.

Continuaba lloviendo. El agua se escurría, negruzca, por las calles sin pavimentar, salpicadas de hoyos, montones de tierra o de cascajo, y a veces con una carreta abandonada, un tonel vacío o viejos maderos.

Tuvo que dar un rodeo para evitar un caballo muerto, cuya piel mojada, reluciente, ponía de relieve cada uno de los huesos del esqueleto.

En los muelles aún había algunos viandantes, pero no se trabajaba, y los barcos parecían abandonados para siempre en medio de la niebla acuosa que los envolvía.

Vio de lejos a los Pendelli, que subían por la escalerilla del portalón del *Aventino*, un pequeño barco de color negro y blanco. El capitán llevaba a la niña, y el cónsul iba el último, haciendo un esfuerzo y aferrándose con su gordezuela mano a la barandilla mojada.

En cuanto al mar, no parecía ser tal, ni mar ni nada. Era una masa gris sin fondo, un vacío que exhalaba bocanadas húmedas. Ni siquiera se veían olas, ni un simple chapoteo. El agua estaba lisa como un estanque, con una infinidad de círculos dibujados por gotas de lluvia, miles y miles de millones, hasta el horizonte, hasta Turquía, quizá más lejos aún.

El impermeable abrigaba. Las botas obligaban a andar

pesadamente. En un charco se había levantado un chorro líquido, que se había infiltrado hasta mojar el calcetín.

El bar estaba cerrado, como siempre a aquella hora. Las ventanas de la casa de los sindicatos estaban abiertas, pero sólo se veían dos o tres siluetas vagando por las salas vacías. De vez en cuando una mujer, de las que trabajaban estibando barcos, pasaba descalza con un saco sobre la cabeza a modo de gorro.

Por las calles era también el vacío. Tal vez eran cincuenta las laberínticas calles cuyo nombre ignoraba Adil Bey, calles estrechas, sin adoquinar, la mayoría sin aceras, flanqueadas por grandes casas que parecían abandonadas, porque nunca se habían vuelto a pintar, no tenían cristales en las ventanas, de cornisas colgantes y donde el agua caía por rotos canalones.

Cada casa tenía su portal abierto de par en par, mojado.

Se adivinaban personas en las habitaciones. Pero ¿qué podían hacer allí? Sí, ¿qué hacían en todas aquellas habitaciones, entre las camas y los colchones extendidos por el suelo? Las mujeres no cocinaban porque no tenían nada que cocinar. Tampoco cosían, o lo hacían muy poco, porque llevaban siempre el mismo vestido.

¿Esperaban? Pero ¿qué esperaban? ¿Que pasaran las horas, como Adil Bey cuando estaba completamente solo en su cuarto?

—Tendré que dejar de beber agua.

Lo dijo en voz alta y luego se encogió de hombros, ya que había leído que el arsénico tiene un sabor amargo, incluso en dosis muy pequeñas. Mezclado con agua era imposible no advertirlo. Y no bebía el té preparado por la asistenta, y jamás tomaba café.

Volvía a estar cerca del caballo muerto, al que miró con asombro. Ni siquiera se había dado cuenta de que se encontraba en aquel barrio.

¿No era ya suficiente por hoy? Tenía que ahorrar fuerzas. Y sobre todo debía conservar la sangre fría. ¡Todo dependía de eso! Y tenía sangre fría. Durante su paseo apenas tres veces había tenido la sensación de pánico. Era involuntario. Algo físico. También le asaltaba cuando pensaba en otra cosa, como un dolor, pero sin ser un dolor, en el fondo de sí mismo, en un lugar inconcreto, y enseguida los músculos, respondiendo a una llamada misteriosa, se contraían, hasta los de las manos, las aletas de la nariz, los dedos de los pies.

—¡Bueno...! —decía. Empezaba a pasar. Se hablaba a sí mismo—. Sonia debe de estar preocupada...

Le había dicho que se tomara el resto del día libre sin una palabra de explicación. Después de la visita del médico ella no le comentó nada, ni una palabra acerca de su estado de salud. ¿Fue ella la que envenenó al cónsul precedente?

—Habría que averiguar si también tuvo la misma asistenta que yo.

Iba razonando así, con serenidad, y andaba a pasos regulares. La señora Pendelli tenía razón al decir que iba a ser un excelente jugador de bridge.

¡Y sin embargo estaba completamente solo! ¡Solo en su casa! ¡Solo en la ciudad! ¡Solo en todas partes! El consulado de Italia estaba vacío. El consulado de Persia estaba vacío.

El, Adil Bey, estaba solo en medio de la ciudad mojada, llena de gentes que se agazapaban detrás de las ventanas, ciegas por obra de aquellos cartones pegados a manera de cristales.

—Antes que nada, comenzar una inspección minuciosa del piso, y anotar el lugar exacto que ocupa cada objeto, si es necesario, valiéndose de puntos de referencia...

No tenía ninguna enfermedad del corazón, como

creyó durante cierto tiempo, el arsénico había sido el responsable de las alteraciones del organismo. ¡Puesto que no había muerto, eliminaría aquel arsénico! Se trataba sencillamente de no tomar más.

Subió la escalera casi sin resoplar, vio a la mujer de la limpieza en el corredor, cerca del grifo, en compañía de dos comadres, y las tres le vieron pasar sin decir nada, sin saludarle, sin manifestar de un modo u otro que todos eran vecinos. ¡Exactamente del mismo modo que ocurriría entre animales! Peor aún, porque los animales se husmean entre sí al encontrarse.

Así era en todas partes. La asistenta no le saludaba por la mañana, y por la tarde él no sabía cuándo se iba. Pasaba el día en casa de él, trabajaba para él, él la pagaba. ¡Pero eso carecía de importancia! La mujer iba al consulado, hacía lo que se le antojaba en el piso y se iba.

Vecinos con los que había tropezado cientos de veces desfilaban amorfos, rozándole, dándole empujones sin un indicio de que le reconociesen.

Cada cual en su rincón, él, como los demás, en un rincón aún más aislado que los otros, frente a otro rincón donde veía vivir a los Kolin como si contemplase unos peces en un acuario.

Sólo que en su propio rincón alguien introducía insidiosamente arsénico, alguien que vivía en algún sitio de la ciudad, que andaba, que respiraba, que entraba en la casa y que había decidido que él muriese al cabo de un tiempo determinado.

Por cierto, ¿qué plazo le habían concedido? Porque el veneno estaba bien dosificado. La persona del arsénico sabía de él algo que él mismo ignoraba, lo más misterioso que existe: la fecha de su muerte.

Y esta persona le veía engordar, pero con una gordura maligna y blanda. Fue la señora Pendelli quien había observado que engordaba. Y en casa de la señora Pendelli tomaba café turco todas las semanas. Lo hacían especialmente para él.

No podía sospechar de la señora Pendelli, pero, en buena lógica, nada impedía que fuese ella.

...Y hasta era muy posible que se fuera a Italia para no estar presente cuando él muriese.

Pero ¿por qué únicamente al cónsul de Turquía? ¿Por qué no envenenaban también a los Pendelli? ¿Y por qué no habían envenenado a Amar, que sin embargo robaba a los rusos?

Adil Bey entró en su despacho y miró a Sonia, que aguardaba de pie con una expresión tan ensimismada que por un momento él se preguntó qué es lo que había de anormal en el ambiente.

¡Demonio! ¡Que ella estuviese allí, cuando le había dicho que no volviera durante el resto del día!

Estaba desazonada. Le observaba con inquietud.

—Viene calado —dijo la joven.

Aún tenía puesto el abrigo, y en los pies las botas relucientes de goma. Y todavía no se había quitado el sombrero.

—¿Qué hace aquí?

Sonia vaciló, sin apartar de él la mirada de sus ojos claros.

—Quería comprobar si no se encontraba peor.

—¿De veras?

Su mirada era de una intensidad desarmante. Ella nunca le había mirado así. Al verla tan tensa, por un momento él creyó que iba a arrojarse en sus brazos.

—Muy bien, ahora ya puede irse.

Sonia aún permaneció inmóvil durante un momento. Con las dos manos apretaba el cierre de su bolso. Su delgado cuello contrastaba con la negrura de su vestido.

El inició un movimiento para entrar en su cuarto. Sonia pareció más distendida. Ella estaba a punto de dirigirse hacia la puerta. Se amagaron ambos movimientos. Lógicamente nada debía interrumpirlos, pero Adil Bey hizo un ademán tan brusco y tan rápido que los dos permanecieron inmovilizados por el estupor.

Y Adil Bey contemplaba en sus manos gordezuelas el bolso de Sonia que acababa de arrancarle. Ella lo miraba también. Esperaba. Aunque los ojos del cónsul estuvieran fijos en el bolso, veía también el pecho de ella, que palpitaba a un ritmo rápido bajo el tejido de sus ropas. Le recordó al faisán al que alcanzó de una pedrada en Albania, y que palpitaba así entre sus manos: un tictac enloquecido de reloj dentro del plumaje.

Abrió el bolso con torpeza.

9

En el forro de seda ajada del bolso había una estilográfica barata, un pañuelo, una borlita para empolvarse, dos llaves, unos cuantos rublos de papel.

Sonia estaba de pie cerca de una silla, y mientras Adil Bey revolvía estos objetos se sentó, con un movimiento tan insensible que pareció dejarse deslizar. El cónsul miraba ahora una fotografía de sí mismo que acababa de encontrar y que no recordaba. Fue en Viena, cerca del club de tenis. Con un traje de franela gris, la raqueta en la mano, tenía el brazo apoyado en un pequeño coche deportivo que conducía la hija de un funcionario de Asuntos Exteriores. Los dos estaban alegres, y miraban al objetivo con una leve sonrisa.

Había tulipanes en un parterre sobre el cual se perfilaba la sombra del hermano de la joven, que hacía la foto. Era algo tan elocuente que ante aquella sombra, ante aquellas sonrisas, se adivinaban las palabras: «¡No os mováis!».

Luego las risas después del chasquido, el automóvil que se pone en marcha, el partido de tenis en la pista de conglomerado color rojizo.

Sonia aguardaba. Y Adil Bey, sin despegar los labios, después de haber dejado la fotografía sobre el escritorio, sacó del bolso un tubito de cristal que puso al lado de la instantánea.

¿Por qué volvió a cerrar maquinalmente el bolso y lo tendió a la joven? Respiraba ruidosamente, con largas vaharadas. Por dos veces se dirigió hacia la ventana, antes de plantarse ante Sonia, que seguía sentada.

—¿Y bien?

Ella le seguía con los ojos, las pupilas contraídas, la cara blanca, los rasgos afilados.

Adil Bey no sabía qué hacer. Decía: «¿Y bien?», pero no esperaba ninguna respuesta. Cogió el tubo de la mesa. No necesitaba oler el contenido para saber lo que era.

¿Acaso podía enfadarse, gritar, gemir, amenazar? Ella no se movía. No lloraba. Seguía allí dócil, tal vez indiferente, con su carita blanca y los dos puntitos oscuros de las pupilas.

Diez veces estuvo a punto de hablar y diez veces renunció a hacerlo, porque las palabras no estaban a la altura de las circunstancias. Necesitaba calmarse. Tenía que hacer algo. Inconscientemente buscaba en torno a él algo que le inspirara, y el tintero fue lo primero que tiró al suelo.

—¿Cuánto tiempo me quedaba por vivir? —consiguió articular por fin. Bastaron estas palabras para cristalizar su emoción, recordándole que había estado a punto de morir, y miró a Sonia con más desesperación que odio, como un enfermo o un herido muy grave—. ¡Conteste!

La mirada de la joven no se apartaba de Adil Bey, mientras que toda su persona conservaba una rigurosa inmovilidad.

—¡Fue usted la que envenenó a mi predecesor, confiéselo! Yo hubiera muerto como él dentro de unos días.

Resoplaba, apretaba los puños, se ponía furioso sobre todo al verla impasible.

—¡Hable, diga algo, cualquier cosa! ¿Me oye? ¡Le digo que hable!

Estaba dispuesto a zarandearla, tal vez a pegarle. Se abrió la puerta. La asistenta cruzó el despacho para ir a la cocina.

—Ordénele que se vaya. Hoy no quiero volver a verla.
Y Sonia habló. Dirigiéndose a la mujer de la limpieza, le repitió la orden en ruso, con su voz habitual.

Tuvieron que esperar a que se fuera. Sonia había vuelto a adoptar su postura inmóvil. Adil Bey veía corretear el agua por los cristales y sentía que le abandonaban las energías.

—Sonia...

Se volvió hacia él. Era alucinante ser mirado así. Y no respondía, ni con los labios ni con un estremecimiento, con un simple temblor de vida que demostrara que estaba allí, con él, que le oía, que pensaba en lo que estaba oyendo. Le miraba como si él se moviera en otro mundo, o como si ella le viese muy grande o muy pequeño, en cualquier caso desproporcionado respecto a la joven.

—¿Tanto me detesta?

Estas palabras que él pronunció a pesar suyo le produjeron ganas de llorar y volvió la cabeza, empujó lentamente un montón de expedientes hasta el borde del escritorio e hizo que cayeran al suelo. Los papeles se desparramaron por la estancia.

—Escuche, Sonia. Tenemos que tomar una decisión. —Se volvió súbitamente, receloso, creyendo que ella se acababa de estremecer. Pero no. No se había movido—. Yo podría entregarla a la policía.

Calló. Estaba junto a la ventana. En la casa de enfrente vio a Kolin que acababa de regresar y que sacaba punta a un lápiz. Un viejo que andaba con la ayuda de bastones, avanzaba penosamente por la calle, con tanta lentitud que era inimaginable que pudiera llegar a algún sitio.

¿No había hablado Adil Bey de policía? ¿Qué diría a la policía? ¿Que habían querido envenenarle?

Se apartó de la ventana mientras su estado de ánimo

cambiaba una vez más. Plantado ante Sonia, con una mano sobre el hombro de ella —y aquel contacto le proporcionaba una intensa emoción—, la miraba de hito en hito, tristemente.

—¿Qué ha hecho usted, mi querida Sonia? No crea lo que acabo de decirle. Ya sabe que soy incapaz de denunciarla. Pero es preciso que hable, que explique lo que...

Ella mantenía los labios tan apretados que fueron palideciendo, y a veces aquella tirantez daba la impresión de una sonrisa contenida, de una risa que estaba a punto de estallar.

—¿No quiere usted? ¿Sigue callando? —La soltó. Su voz se elevó un tono, dos tonos—. ¡Evidentemente! ¡Para lo que podría decirme! Cuando pienso que ha estado viniendo aquí por la noche, y que yo la estrechaba entre mis brazos, que la llamaba mi pequeña, mi querida Sonia... ¡Porque yo la amaba, ahora puedo decírselo! Y poseerla no era lo que yo más deseaba. ¡Ay! Todo lo demás se me escapaba, y me preguntaba en vano por qué, y entretanto usted, semana tras semana, día tras día, estaba adelantando mi muerte...

Le faltaba el aire. Necesitaba movimiento, ruido, y al pasar cerca de la pared disparó contra ella un violento puñetazo.

—¡Esto es lo que estaba haciendo mientras toda mi vida giraba alrededor de su persona!

Nunca lo había comprendido con tanta claridad. Antes de aquel momento ni siquiera se había dado cuenta. ¡No obstante, era verdad, de una verdad cegadora!

¿Qué había hecho desde que llegó a Rusia sino girar alrededor de Sonia, tratar de comprender a Sonia, acercarse a Sonia?

¡Y a veces también detestarla! ¡Tratar de hacer que sufriera! ¡Era amor! ¡Esto es lo que hacía! Cuando vagaba por las calles, furioso, curioseándolo todo, era para regresar y poder decirle: «¡He vuelto a ver a gente que comía basura en plena calle!».

¿Acaso ella no le hacía sufrir cuando a la caída de la tarde iba a la casa de los sindicatos, donde él sabía que todos los jóvenes vivían en una intimidad sin restricciones? Hasta cuando ella regresaba a su casa se enfurecía. ¡Y cuando iba a bañarse, desnuda como sus compañeras!

Dijo sarcásticamente:

—Durante horas enteras la observaba para tratar de comprenderla. Más aún: como un adolescente, a veces la espiaba por el ojo de la cerradura de mi cuarto, para estar seguro de verla moverse con naturalidad. Vamos a ver, ¿dónde echaba el arsénico? Porque supongo que es arsénico.

Cogió el tubo, lo destapó, volvió a taparlo, estuvo a punto de echarlo dentro de la estufa, mientras Sonia seguía todos sus movimientos con la mirada.

—¿Le habían dado la orden de hacerlo? ¡Responda! ¿No quiere decir nada? ¿Tiene miedo a sus colegas de la GPU? ¡Oh! Yo ya sabía que fue usted quien denunció al hombre que pasaba clandestinamente la frontera. Ni siquiera le hablé de este asunto porque pensaba que en el fondo era su deber...

Sentía alternativamente cansancio y energía, pero el cansancio era más fuerte, un cansancio tal que estuvo tentado de tenderse en el suelo. Hablaba con voz quejumbrosa. Seguía esperando. Se decía: «Ahora se desmoronará. Ahora va a hablar...».

Luego, desengañado, gritaba, se agitaba, daba un puntapié a los papeles que llenaban el suelo.

—Tenía montones de proyectos... A menudo me decía que iba a llevarla a Turquía, y nos veía a los dos, junto al Bósforo... —Los párpados le escocían, pero no quería llorar—. Incluso creo que hubiese hecho algo peor... Que

me hubiera quedado aquí de ser necesario... Hubiera...
No sé lo que hubiera hecho...

Acercó su puño a la cara de Sonia, aulló:

—¡Puerca! —y al ver que ella retrocedía imperceptible-
mente, añadió—: ¡Vaya! ¿Tienes miedo a los golpes? —Sujetando con las dos manos los hombros de la muchacha,
la zarandeó repitiendo—: ¡Puerca, más que puerca!

Ella no protestó. Su cabeza iba de izquierda a derecha, de delante hacia atrás según las sacudidas que él daba
a los hombros, pero su mirada permanecía fija, los labios prietos.

—Sonia... ¡Di algo! Si no, seré yo quien acabe por ma-
tarte... ¿Me oyes? Soy capaz de hacerlo... No puedo más...

Lloraba al hablar. ¿Era llanto? Sentía un ahogo en el
pecho y su garganta se hinchaba, adelantaba los labios
en una mueca de asco.

Ya no tenía energía para sacudirla. La soltó. Retrocedió un paso. Y de pronto desorbitó los ojos al descubrir
en la mejilla de Sonia un rastro reluciente. Aún no podía
creerlo. Quería estar seguro. Lo estuvo cuando el pár-
pado se hinchó de nuevo lentamente, y asomó una gota
líquida, titubeante, que acabó por seguir el surco de la
primera.

¡Sonia!

Estaba emocionado. Quiso volver a cogerla por los
hombros. Pero al acercarse, ella se puso en pie con una
expresión de terror en los ojos.

—¡Déjeme!

Quería huir. Se precipitó hacia la puerta y consiguió
abrirla antes de que él la alcanzara.

—¡Sonia!

Corría ya por el rellano. El corrió más aprisa y la alcanzó en el momento en que ella empezaba a bajar la
escalera.

—¡Déjeme! —repitió la joven.

—Venga conmigo... Yo no la abandonaré...

Alguien les vio desde lo alto de la escalera, pero a él le daba igual. Empujó a Sonia hasta el despacho y cerró la puerta con llave.

—¿Por qué llora?

—No estoy llorando.

Casi era verdad. Había recuperado la calma, aunque no se había borrado el rastro reluciente.

—Ha llorado. Aún tiene ganas de llorar. Quiero que me diga...

—No tengo nada que decir.

—¡Muy bien! Envenena a mi predecesor, trata de matarme de la misma manera, a pesar de que es mi amante, y cuando le pido explicaciones, ¡no tiene nada que decir! ¡Admirable! Todo un monumento de inconsciencia o de cinismo. Es... es...

Debía de estar ridículo agitándose de aquel modo, gritando cualquier cosa, todo lo que le pasaba por la cabeza. Ella sonrió. Las comisuras de los labios se arquearon por espacio de un cuarto de segundo, luego se dejó caer en el sillón, escondiendo la cabeza entre las manos, mientras sus hombros se movían a sacudidas.

¿Reía? ¿O acaso lloraba? Adil Bey la miró desconfiadamente, evitando acercarse a ella.

—¡Sonia! ¡Levántese! Quiero verle la cara...

Estaba cayendo la noche, que parecía esparcir hollín por el aire.

—¡Ya lo sé! ¡Soy un idiota! Siempre he sido un idiota, ¿verdad? Idiota por amarla. Idiota cuando la estrechaba en mis brazos y me emocionaba hasta el punto de saltárseme las lágrimas. Idiota cuando estaba celoso. E idiota también cuando me miraba al espejo, preocupado por no sentirme suficientemente enérgico...

—Cállese —suplicó ella, sin apartar las manos de su rostro.

—¿Porque digo la verdad? Poco ha faltado para que me callase para siempre, y la imagino muy bien en este mismo despacho, con mi sucesor, y luego por la noche en la alcoba.

Ella dejó ver su rostro con un movimiento tan imprevisto que le desconcertó.

—¡Le digo que se calle!

Nunca hubiera pensado que alguien pudiese estar tan pálido, y sobre todo no hubiera supuesto que una cara podía cambiar tanto en pocos segundos.

Ya no era la misma Sonia. Tenía los ojos más hinchados, los párpados húmedos. La nariz se había desdibujado, ensanchándose las aletas, y los labios, tan tirantes, tan rígidos hacía sólo un momento, eran como dos burletes rojos, sangrantes.

Aquel aspecto no la embellecía, y, sin embargo, el cónsul gimió, avergonzado:

—Sonia...

—No. Deje que me vaya.

No tenía la coquetería de ocultarse. Apenas respiraba.

Maquinalmente buscó su bolso para sacar un pañuelo, y maquinalmente también Adil Bey le tendió el suyo.

—Gracias.

—Hablemos, Sonia. Antes que nada tiene que calmarse.

¡Pero no se calmaba, al contrario! Comenzaba una nueva crisis. Lloraba igual que una niña, contrayendo todos los músculos de la cara, y, de vez en cuando, su boca trataba en vano de absorber una bocanada de aire. Se ahogaba. Era doloroso verla. Adil Bey trataba de cogerle una mano, luego otra, o de acariciarle la frente.

Ella le rechazaba. Balbuceaba, torciendo la boca:

—¡Déjeme!

En un determinado momento apretó con tanta fuerza sus propias manos que se le amorataron los dedos.

—¡Se lo suplico, Sonia!

Tenía miedo de que ella enfermase. Aquéllas no eran lágrimas como las suyas, no se parecían a las que él había podido ver. Era más trágico, era todo un cuerpo el que jadeaba, y se estiraba replegándose sobre sí mismo.

No quería que la consolaran. Le rechazaba, a veces con verdadero odio en los ojos.

—No puede seguir así, Sonia. Tiene que calmarse. Se sentirá más aliviada si habla.

Adil Bey temblaba de nerviosismo. En la casa de enfrente la señora Kolin corría las cortinas, sin duda porque iba a encender la lámpara.

—Puede que yo le haya dicho cosas muy duras, Sonia, cosas injustas. Usted no trataba de envenenarme, yo hubiera tenido que comprenderlo y no dudar de usted...

Una vez más un embrión de sonrisa asomó por entre las lágrimas. Sonia se calmaba un poco, le miraba con una expresión extraña, en la que había sobre todo compasión.

—¿Es eso? ¿Me he equivocado? ¡Hable! ¡La creeré! Le juro que voy a creerme todo lo que me diga. ¡La quiero demasiado! Usted no comprende... Yo parecía estar vagando solo en el vacío... Usted lo pensaba... En realidad, giraba en torno a usted... Usted era el centro, el núcleo...

—Cállese —dijo con una voz distinta.

Se encontraba mejor. Desde luego seguía abatida. Hablaba en voz baja, pero serena, con una voz de enferma.

—¿Por qué quiere que me calle? ¿Me equivoco?

—Sí.

—¿Me equivoco al quererla?

—Sí.

Tenía los párpados hinchados, de color rojo, y también un rojo casi violáceo en los pómulos.

Para estar más cerca, él se había arrodillado en el suelo y le abrazaba las piernas. De este modo, ella le miraba desde muy lejos, desde muy arriba, hubiérase dicho que desde otra esfera.

—¡Usted no ha hecho eso, Sonia!

—Lo he hecho —dijo en voz muy baja.

—Pero ¿por qué?

—Usted no puede comprenderlo.

—Le aseguro que lo comprenderé. No siga callando. Deje que le haga preguntas. ¿Mi predecesor...?

Parpadeó en señal afirmativa, con una pálida sonrisa en la cual sin embargo brilló una pizca de burla.

—¿Y yo? Empezó apenas llegué, ¿no? ¿Cuando nos hicimos amantes? ¿Por qué aceptó? ¿No me amaba?

Ella negó con la cabeza, respiró profundamente, levantó los brazos con desaliento.

—No sirve de nada —suspiró.

—¿El qué?

—Que hablemos. Deje que me vaya. Piense usted lo que quiera. Regrese a su país.

Vio que Adil Bey volvía a mirarla fijamente, con una expresión maligna. Comprendió que iba a crisparse de nuevo, a gritar, a romper algo, y se llevó la mano a la frente suplicando:

—¡No, no pierda la serenidad!

—La escucho.

—Siéntese delante de mí. No intente tocarme.

Apenas se veían, porque la oscuridad era casi completa, pero llegaba a la estancia el reflejo de las ventanas de enfrente, que estaban iluminadas. Se oía bajar el agua por un canalón. También se oía el ruido de goterones que caían a intervalos regulares sobre un tejadillo de cinc.

—Hable, Sonia.

—¿No ha entendido nada?

El notaba que la muchacha seguía estando al borde de la crisis, pero que sacaba fuerzas de flaqueza, obligándose a sonreír.

—Usted ha salido con John, ¿verdad?

—¿Y eso qué tiene que ver?

—El predecesor de usted pasaba las noches poco más o menos de la misma manera que él. Bebía en el bar. Luego, en la calle o en algún otro sitio, elegía a una mujer, cualquiera, una obrera, una oficinista, una chica o una madre de familia.

El la miraba abrumado y sorprendido.

—¡Para nosotros significa mucho un dólar o unas cuantas liras o unos francos! Con este dinero se puede comprar comida en Torgsin, donde hay de todo, y además siempre, incluso cuando las cooperativas están vacías. —Se oía su respiración entre las sílabas—. Usted lo decía, me lo ha repetido muchas veces: ¡aquí hay gente que se muere de hambre! Pero hay otras personas, ya ve, que creen, que quieren creer en algo... —Su tono era cada vez más alto. Tensando el cuello, se inclinaba hacia Adil Bey, y en su voz había sollozos y rencores—. ¿Todavía no lo entiende? ¿Sabe cuántas horas de trabajo necesita un ruso para comprar una lata de sardinas como las que usted abre todos los días, para luego dejar que se echen a perder en el armario? ¡Un día entero! Su predecesor, como usted le llama, llevaba en los bolsillos latas de sardinas, azúcar, galletas. Y todo eso lo regalaba. A cambio, había mujeres que le invitaban a su casa, a veces con el consentimiento del marido. También quiso acostarse conmigo. Cuando se sentaba a la mesa decía: «Métete eso en el bolso, mujer. Te sentará bien. A tu edad hay que alimentarse».

Adil Bey la miraba, una mancha pálida en medio de las sombras, luego miraba las dos ventanas iluminadas, al otro lado de la calle.

—Sí, me decía que comiese. ¡Y nunca olvidaba añadir que para él aquello representaba tan poca cosa! En su país... En su país... ¡Siempre su país! También usted me lo decía sin cesar... En su país la gente no se muere de hambre... En su país hay todo el pan que se quiera... En su país... ¡Pues yo no quiero! ¡No quiero! Tengo más de veinte años y no estoy dispuesta a malograr mi vida... Mi madre murió de miseria... Sí, como sin duda usted ya ha visto, como tantos otros que mueren aquí en la calle... Usted me hablaba muchas veces de nuestra miseria...

—Estaba celoso —se oyó la voz de Adil Bey en la sombra.

Ella respondió riéndose nuevamente, con agresividad.

—¡No tenía ningún motivo, porque en aquel momento ya era demasiado tarde!

—¿Demasiado tarde para qué?

—¡Para mí! ¡Es usted quien ha querido saberlo! Al otro le maté con fe, por así decirlo. A cada segundo, como se respira, me hería en todas mis fibras. La primera vez que me hizo venir aquí por la noche... —Oyó que Adil Bey se agitaba—. Sí, también era por la noche —dijo ella con indiferencia—. No hay tantas maneras distintas de concertar una cita. El mismo preparaba la cena. Estaba orgulloso del aspecto que tenía la mesa. Me señalaba los platos diciendo: «Apostaría a que ni siquiera sabe lo que es». Se sorprendía al ver que no me precipitaba sobre los platos. Como puede ver, contaba sobre todo con este aliciente. No me haga volver a pensar en esas cosas. Yo nunca había visto a un extranjero de cerca. Nunca había visto un periódico que no fuese ruso. Casi tenía la impresión, al matar a aquel hombre, que salvaba a Rusia...

—¿Y yo? —dijo lúgubremente la voz que sonaba frente a ella.

—¿Usted?

Las gotas de lluvia estallaban al caer sobre el cinc a un ritmo regular. La ventana de enfrente se abrió y Kolin miró hacia la calle en ambas direcciones, extrañado de que aún no hubiese regresado su hermana. Se oyó cerrar de golpe las dos hojas de la ventana.

—¿También me odiaba?

La joven guardó silencio.

—¿Por qué?

—¡Es curioso que no comprenda nada! Es usted como un niño inconsciente. Tal vez por eso...

—Tal vez por eso ¿qué?

—¡Nada! Deje que me vaya. Hay cosas que luego va a sentir. ¿Quiere saber por qué le odiaba, por qué trataba de envenenarle como al otro, pero sin decidirme a acabar de hacerlo? El otro podría vivir. Solamente ahora me doy cuenta. Le odiaba. No quería creer lo que decía. Pero usted ha destruido todo lo que aún me quedaba... Y ahora...

—¿Ahora qué?

El no se atrevía a moverse, hasta tal punto tenía miedo a romper un hilo tan tirante.

—No hablemos más. Tengo que irme. Ya ha visto que mi hermano empieza a preocuparse.

—¿Hubiera sido capaz de matarme?

—No lo sé. La primera vez eché el arsénico en el aceite del pescado...

—¿Cuándo fue eso?

—Cuando vino ella.

—¿Nejla?

Sonia no podía verle sonreír, en la oscuridad, con una sonrisa feliz.

—No estaba celosa —dijo fríamente—. Estuve a punto de dejarlo correr. Pero usted pasó por el muelle cuando yo estaba en la ventana del club.

—¿Y qué paso?

—¿Por qué exige detalles? ¡Si fuera mujer, o simplemente ruso, me comprendería! Yo ya no creía en el club, en nuestra palabrería, nuestras discusiones, nuestros entusiasmos, nuestras lecturas. Usted me había hablado del mercado donde se vende pescado podrido. Y yo veía que estaba cada vez más pálido, más fofo a causa del arsénico, que se estaba convirtiendo en alguien casi tan amorfo como las personas que tienen hambre... —Se levantó como movida por un resorte, y gritó con voz ronca—: ¡Deje que me vaya! ¡Es usted despreciable, despreciable, despreciable! Me ha hecho hablar y ahora se siente feliz. Porque le causa placer todo lo que le digo. Ha conseguido trastornar a una pobre chica que quería vivir y...

Con un movimiento brusco cogió su bolso. El adivinó que se secaba las lágrimas.

Adil Bey se puso en pie suavemente, sin hacer ruido. Ella se dirigía hacia la puerta y comprendió que el hombre estaba a sus espaldas. Dio dos o tres pasos más rápidos. Pero ¿tenía verdaderamente la esperanza o la voluntad de huir?

En el momento en que alcanzaba el picaporte, él súbitamente la abrazó.

No la besó. No dijo nada. Se contentó con permanecer así, sin moverse, sujetándola, mientras lentamente los dedos que apretaban el pomo de la puerta iban aflojándose.

Por segunda vez, enfrente, Kolin abrió la ventana y se asomó a la calle vacía y reluciente como un canal.

10

—Aunque el ministro exigiera mi dimisión, yo encontraría en cualquier lugar un puesto de cien libras turcas al mes.

—¿Cuántos rublos son?

El sonrió. Ella lo preguntaba muy seria, no porque estuviese interesada, sino porque era la primera vez que podía hablar de esas cuestiones.

Y Adil Bey, que se había educado con los Hermanos de las Escuelas Cristianas, se repitió que por fin había descubierto el significado de unas palabras que siempre habían sido un misterio para él, que era musulmán: el estado de gracia.

¡Se encontraba en estado de gracia! No hubiera sabido explicar cómo ni por qué, pero tenía la íntima convicción de que era así. Todo resultaba sencillo y fácil, claro y limpio.

—¡Hoy no! —había murmurado ella con una sonrisa marchita cuando él la llevó hasta su cuarto.

—¡Chist!

También él había sonreído. La acostó como lo hubiera hecho con una hermana. Incluso pensó en empapar la punta de una toalla para lavarle los ojos.

—En la frente... Esto va bien...

Luego su mirada se dirigió hacia las ventanas de enfrente, y en su cara se pintó la inquietud. Entonces Adil Bey fue a buscar al despacho unas hojas grandes de papel gris y las puso sobre los cristales.

—Ya está. Ya no nos ve nadie.

Allí estaban los dos. Sus ojos brillaban con un residuo de fiebre. Sonreían como quienes aún tiemblan después de haber evitado una catástrofe.

¡Era el estado de gracia! Adil Bey ya no estaba al acecho de lo que pensaba Sonia. Ni siquiera se lo preguntaba. Ella le sonreía, y eso bastaba para que fuese feliz.

La joven tenía sueño. Cerraba los ojos, pero, cuando el hombre callaba, le decía por señas que siguiera hablando.

—Convertirlo en rublos no significaría nada. Con cien libras podemos vivir en un buen piso del barrio moderno de Estambul, comer lo que se nos antoje, ir al teatro todas las semanas, y tú podrás tener vestidos bonitos.

—¿Es verdad que de noche se puede leer en las calles, porque están muy bien iluminadas?

—Toda la noche. Junto al Bósforo hay merenderos donde tocan música turca, y se bebe *raki* y se comen *mezet*.

—¿*Mezet*?

—Es una mezcla de muchas cosas: pescadito, aceitunas, cosas ahumadas que se van comiendo mientras se escucha la música y se ven pasar los caiques...

¿De qué más hablaron aquella noche? Sonia se durmió. Era la primera vez que él la veía dormir, y se inclinó sobre ella para verla mejor. Comprobó entonces que cuando dormía volvía a ser pálida y clara. ¿Por qué le había inquietado tanto aquella carita? ¿Y por qué durante meses enteros habían estado hiriéndose, cuando todo era tan sencillo? Cuando estuvieron junto a la puerta, él había dicho:

—¡Nos iremos los dos, Sonia!

Ella respondió con un breve apretón de sus dos manos. Poco importaba ahora el ruido del agua en la calle negra y húmeda. ¡Pronto ya no volverían a ver aquella calle! De vez en cuando la ventana de enfrente volvía a abrirse. Kolin, que no podía dormir, se quedaba unos minutos mirando hacia afuera, luego volvía junto a su mujer, que ya estaba acostada.

La primera vez que Sonia abrió los ojos tardó unos segundos en reanudar el hilo de sus ideas y en mirar con atención la cara de Adil Bey.

—¿No duermes? —murmuró.

—Ya dormiré.

—¿Es verdad que estabas tan celoso de mí?

—Tanto que odiaba todo lo que te rodeaba, hasta tu hermano, su calma, la manera que tenía al llegar la noche de acodarse a la ventana.

—Trabaja mucho —dijo ella.

—¿Y cree en lo que hace?

—Quiere creer. Son cosas de las que no se habla nunca, ni siquiera entre hermanos o entre marido y mujer, son cosas que nadie se confiesa a sí mismo... —Y, cambiando de idea, añadió—: ¿Hay muchos tranvías en Estambul?

—En las calles importantes, al menos pasa uno cada medio minuto.

Ella sonrió con incredulidad.

—¿Tienes amigos?

—Los tenía, pero no quiero volverlos a ver.

—¿Por qué?

—Porque tendrías celos de ellos, como yo los tenía del club y hasta del retrato de Stalin colgado en la pared.

Estaba seguro. Ya no tenía la menor duda. La lluvia seguía cayendo, y era maravilloso adivinar la atmósfera pegajosa y fría del exterior, estando allí al abrigo de todo, lejos de todo.

No obstante, cuando los dos ya estaban dormidos, se oyó llamar a la puerta, y ambos levantaron la cabeza al mismo tiempo. No debían contestar. Y sobre todo no hacer ruido. El desconocido llamó otra vez, intentó abrir, pero en vano.

¿Iba a descerrajar la puerta? Adil Bey apretaba a Sonia contra su cuerpo, y cuando por fin los pasos se alejaron la miró lanzando un profundo suspiro.

—He tenido miedo —dijo ella.

Su cuerpo estaba sudoroso. Adil Bey la acarició. Era la primera vez que la tenía en sus brazos. Las otras veces no contaban. Ya las había olvidado.

—¡Durmamos!

Ella tenía una manera muy rara de encogerse y de hundir la cabeza entre los hombros.

Por fin asomó la luz gris de la mañana, que, a causa de los papeles pegados a los cristales, apenas se reconocía. La casa vivía. En el corredor había vecinos lavándose.

Hacía poco que Adil Bey se había despertado cuando advirtió que Sonia tenía los ojos muy abiertos. Su cara y la postura delataban la fatiga.

—Estaría bien —suspiró.

—¿El qué?

—Vivir en otro lugar, en Estambul, en cualquier sitio, vivir como en la fotografía.

Al principio él no cayó. O, mejor dicho, creyó confusamente que estaba celosa, y afirmó:

—*Estará* bien.

—Sí. *Estará.* ¿Cómo lo conseguirás?

—Todavía no lo sé, pero encontraré la manera.

Estuvo a punto de decirle inocentemente que era una lástima que hubieran fusilado al hombre que ayudaba a cruzar clandestinamente la frontera. Mejor no hablar de ello. Y, sin embargo, no guardaba rencor a Sonia. Su conducta le parecía natural.

—Deja que me vista.

Antes se vestía delante de él, pero ahora le pedía que la esperara en el despacho. Se paseó por allí en pijama.

Vio el tintero roto, los expedientes desparramados por el suelo, y se desperezó de satisfacción, bostezó, sonrió contemplando a la señora Kolin, que detrás de la cortina transparente se cepillaba los largos cabellos.

Oía el ir y venir de Sonia. Adivinaba sus gestos, y se emocionó como pocas veces se había emocionado anteriormente al verla aparecer en el marco de la puerta con su vestido negro y el sombrero puesto.

—Qué lástima que tenga que irme —dijo ella con aire sombrío.

—¿Por qué tienes que irte?

—Es necesario.

—¿Y si empezáramos por casarnos en Rusia?

La idea se le acababa de ocurrir, y la expresó sin más.

—Esto no simplificaría las cosas. Seguiría siendo rusa y continuarían negándome el pasaporte.

—¿Qué vas a hacer?

—Intentaré salir sin que me vean. Luego volveré a mi casa. Desayunaré. Estaré de vuelta a las nueve.

El ya había olvidado el consulado. Miró de nuevo los papeles esparcidos por el suelo y pensó que todo aquello carecía de importancia.

—Yo me ocuparé de nuestra marcha. Tienes razón, tal vez sea mejor que el despacho siga abierto.

Se daba cuenta de que no había nada preparado, que no habían pensado en ninguna cuestión material.

—Hasta ahora, Adil Bey.

Se iba como de costumbre, y sin que hubiese ningún motivo, él tuvo miedo, balbuceó como lo hacía cuando estaba muy azarado:

—Sonia...

—No pasa nada. Volveré a las nueve.

—Sí... Ya lo sé...

El no soltaba su mano. No se decidía a dejar que se fuera.

—¿Y si te quedaras?

—No es posible.

Señalaba la casa de enfrente. Parecía salir huyendo. Ya en el umbral se volvió para dirigirle una breve sonrisa.

—Hasta las nueve.

Adil Bey se afeitó lentamente, oyó los pasos de la mujer de la limpieza, de la que no había vuelto a acordarse.

Cuando ya estuvo vestido entró en el despacho y vio a la asistenta que llevaba en la mano el bolso de Sonia y que no se inmutó al verle.

—La secretaria se olvidó esto —dijo.

—Gracias. Ahora vendrá.

En cuanto a él, prefería irse antes de que llegaran las visitas. Tenía un plan impreciso, o, mejor dicho, sabía cuál era el primer lugar al que iba a ir.

El aire era frío. La lluvia se transformaba en niebla, y desde el muelle apenas se divisaba el agua. Se oyó el silbido de un vapor entrando en el puerto. Todo el mundo andaba aprisa.

Adil Bey penetró en los edificios de ladrillo rojo donde estaban las oficinas de la Standard. Allí había rusos trabajando en un barco norteamericano.

—¿Está Mister John?

Le señalaron el techo y se dirigió hacia el primer piso. Había varias puertas. Llamó a una de ellas. Una voz confusa gritó algo y entró.

John aún estaba en la cama, con las cortinas echadas. En aquel claroscuro reconoció al visitante y se frotó los ojos, rascándose la cabeza a contrapelo.

—Vengo a pedirle que me haga un favor. Es muy importante, muy urgente —dijo Adil Bey de una tirada.

El norteamericano bebía un vaso grande de agua mineral.

—Es completamente necesario que consiga hacer salir a una joven de Rusia. Desde luego, no tiene pasaporte.

—¿Aquella chica? —preguntó John sin demostrar sorpresa.

—¿Qué chica?

—La ratita que le hace de secretaria.

—Sí. Le pido el secreto más absoluto. Usted sabe tan bien como yo el peligro que corre.

—¡Que le metan una bala en el cuerpo! Oiga, tendría que hablar con un capitán belga al que conozco. ¿Quiere volver esta tarde?

John había sacado las piernas de la cama y hablaba con voz blanda, mirando en torno a sí de mal humor.

—¿No es posible que vea antes a su capitán?

—Vamos a ver, Adil Bey, ¿está usted seguro de que la chica quiere irse de veras? Porque lo que pueda pasarle a ella a mí no me importa, pero sí lo que pueda pasarle al belga, que podría verse en un buen lío.

—Yo respondo de Sonia.

—Lo comprendo.

—¿Por qué dice que lo comprende?

—Aún lleva cabellos rubios en su chaqueta. ¿Dónde están mis zapatillas?

Descorrió las cortinas, se duchó, se vistió, siempre tranquilo y de mal humor.

—Yo ya le había avisado.

—¿De qué?

—Le dije que no se quedaría aquí mucho tiempo. Lo que hace es una idiotez, pero allá usted. Sería mejor largarse solo, ya que tiene ganas de largarse...

A modo de desayuno, se echó al coleto un vaso de whisky, sin mirar a su compañero, que había enrojecido.

—Está en la situación ideal para hacer todas las tonterías del mundo. Si le dejara andar solo por la ciudad, estoy convencido de que conseguiría usted que le detuvieran. ¿Dónde está mi chaqueta? A propósito, recuerdos de parte de los Pendelli. A estas horas están navegando a la altura de Samsun, cerca de las costas de su país. ¿Viene conmigo?

Se sumergieron en la humedad de la atmósfera, después de que John hubiese dirigido una triste mirada a sus oficinas. Aquel rincón del puerto olía a petróleo. Cada cincuenta metros tropezaban con un centinela de gorra verde que saludaba al norteamericano.

—¿Es este barco?

—No, el que está detrás. Lo cargarán esta tarde, y sin duda zarpará por la noche. Hay un camarote para pasajeros. ¿Tiene usted pase?

—¿Qué pase?

—Para circular por el puerto y subir a bordo de los barcos.

—No.

—Espere.

John se dirigió hacia un cuerpo de guardia para discutir con unos individuos de uniforme. Adil Bey creyó ver que repartía cigarros.

—Venga —dijo cuando volvió—. Sólo podemos quedarnos media hora, porque van a cambiar la guardia.

Encontraron al capitán en mangas de camisa, escribiendo cartas en su camarote, en la parte más alta del armazón. John se sentó e hizo las presentaciones:

—El cónsul de Turquía. Dígale francamente si es posible algo por hacerle feliz o desgraciado.

El barco estaba inmerso en la niebla, con los tabiques metálicos cubiertos de rocío. El capitán escuchaba acariciándose el cogote y mirando de vez en cuando al cónsul.

—Se ha vuelto loco por una rusa y quiere sacarla del país.

—¿Es posible? —preguntó Adil Bey.

—Es posible —suspiró el capitán—. ¡Pero fastidioso!

146

—¿Por qué?

—¿Le parece sencillo embarcar a alguien clandestinamente y ocultarle durante la inspección?

—¿Lo ha hecho alguna vez?

—¡Pues claro!

Se levantó, abrió un armario que contenía varios uniformes, abrigos e impermeables colgados de una barra.

—¡Ahí tiene! La cosa está en que no se vean los pies por debajo.

—¿Qué hay que hacer?

—Se cuelga al individuo por los brazos a la altura de las barras, y se encoge todo lo que puede. Generalmente los rusos no tocan la ropa. Se limitan a mirar la parte inferior.

—¿Y si registraran el armario?

El capitán se encogió de hombros.

—¿Cuánto tiempo puede durar eso?

—¿Estar metido ahí dentro? Puede durar una hora o un día entero. La última vez estuvieron a bordo desde las doce del mediodía a las nueve de la noche.

—¿Hay aire suficiente?

Adil Bey sabía que incordiaba a sus compañeros con aquellas preguntas, pero ¿era posible no hacerlas?

—La señorita en cuestión al menos será capaz de no desmayarse, ¿no?

—Respondo de ella.

John, que había sacado una botella de cerveza de un armario y se había servido, le miraba con dulce compasión.

—¡Eso siempre se dice!

—Se lo juro. No es una chica como las demás.

—¡Evidentemente! ¿Un vaso de cerveza? Es Pilsen de verdad.

Le daba lo mismo. Se había lanzado de cabeza y necesitaba tomar una decisión inmediata.

—Supongo que hacen escala en Estambul...

—Cruzamos el Bósforo, como siempre. Permanecemos una hora en el puerto, pero no podemos desembarcar a nadie, porque sólo estamos en tránsito.

—¿Dónde puede desembarcar?

—En Amberes. Llegaremos allí dentro de veinte días.

¡Qué más daba! Adil Bey estaba dispuesto a ir hasta San Francisco.

—¿Le parece bien? Si usted tiene los papeles en regla puede ir en el camarote de pasajeros. Es aquí al lado.

—¿Y para embarcar a la joven?

—Esa es otra historia, y tendrá que ser ella la que se apañe. ¿Sabe nadar?

Adil Bey no estaba seguro, pero sabía que iba a menudo a la playa.

—Sí —dijo con aplomo.

—Entonces lo mejor es que se tire al agua bastante lejos de aquí, apenas haya anochecido del todo, y que nade sin hacer ruido. Nosotros dejaremos un cabo que cuelgue por babor, y cuando lo haya agarrado la subiremos a bordo. Tenga en cuenta que si la ven desde tierra o si se oye algo, la fusilarán sin vacilar.

—De acuerdo pues; hasta la tarde —dijo Adil Bey poniéndose en pie.

El capitán y John se miraron. A Adil Bey ni siquiera se le había ocurrido dar las gracias. Tanta era la prisa que tenía por dar la noticia a Sonia. John le acompañó hasta el muelle.

—¿Cree usted que es muy peligroso?

—Es peligroso.

—¿Qué probabilidades tiene de salir bien?

Necesitaba precisiones de esa clase, pero John se contentó con desviar la mirada.

—¿Estará usted a bordo? —le preguntó luego Adil Bey.

—No lo sé.

148

¿Por qué todo el mundo, a su alrededor, mostraba tanta indiferencia? Tenía ganas de zarandear a la gente, de gritar: ¿Pero no comprenden que es importante? ¿Que se trata de la vida de una mujer, de la mía?

¡No se daban cuenta! ¡Pensaban en sus asuntos! ¡Le trataban como a un enfermo sobreexcitado!

—No se exhiba mucho en el estado en que está —aconsejó John, cuando se separaron en la entrada de las refinerías—. Sospecharían algo. Si antes de la caída de la tarde surge alguna contrariedad, yo estaré casi permanentemente en la oficina. Si no, a partir de las diez en el bar.

Adil Bey anduvo hasta quedarse sin aliento en medio de la humedad, que depositaba unas perlas blancas en su abrigo. Le pareció que el muelle era interminable, que nunca iba a llegar a su casa, que aquel día sería el más largo de toda su existencia. ¿Qué tenía que hacer ahora? Pedir su visado, que estaban obligados a darle inmediatamente. Diría que tenía que hacerse operar urgentemente en Turquía.

En cuanto a Sonia, no necesitaba llevarse nada. No había que complicar las cosas. ¡Actuar deprisa! ¡Acabar de una vez! Y cuando oyese chirriar la cadena del ancla...

Subió las escaleras corriendo, en el rellano se detuvo un instante sin atreverse a cruzar el umbral.

—¡Sonia!

El despacho estaba vacío. Varias personas esperaban sentadas en las sillas. El que había llegado primero se levantó con unos papeles en la mano.

Adil Bey fue corriendo a su cuarto, donde la asistenta estaba haciendo la cama.

—¿Dónde está mi secretaria?

—Aún no ha llegado.

Eran las once. ¡Y había prometido estar allí a las nueve!

Permaneció inmóvil, de pie en medio de la estancia, y lentamente su mirada se dirigió hacia las ventanas de la casa de enfrente, que estaban cerradas, hacia los cristales negros en los que se dibujaban las flores cremosas de las cortinas.

11

Las horas pasaron sin alterar en nada el humor del cielo, y a las doce reinaba aún una alba glauca de catástrofes que recordaba a un tren descarrilado sobre el balasto o al descubrimiento matinal de un crimen en un barrio pobre.

Adil Bey salía de la casa de enfrente tal como había entrado, sin saber nada. En el primer piso llamó, tan asustado por la idea de que pudiesen abrir como por la suposición de que no hubiera nadie. Nadie contestó, y luego deambuló por la calle, nervioso, cavilando, de vez en cuando comprobando que no le seguían. «Es mejor que primero les hable de mi visado, y después ya trataré hábilmente de hacer averiguaciones.»

El gran edificio al que solía ir con Sonia estaba lleno de gente empapada esperando, pero Adil Bey, como habitual de aquellos lugares, empujó la puerta de la oficina. El funcionario de la cabeza rapada estaba en su sitio. Frente a él había un visitante. ¿Había que entrar o salir? Le dijeron por señas que esperara un momento.

¡No había ocurrido nunca! ¡Jamás había visto a un importuno en aquel despacho! Y tenía que quedarse en el rellano, en medio de las personas sentadas en el suelo, contando los minutos. Un cuarto de hora más tarde aún continuaba allí, abrumado, con los nervios tan crispados que iba a empujar la puerta cuando ésta se abrió por sí misma. El visitante salió. El funcionario miró a Adil

Bey con su media sonrisa de siempre, y le señaló la silla vacía.

No estaba Sonia para traducir. El cónsul puso su pasaporte sobre la mesa y explicó en su mal ruso que quería un visado.

Esperaba una reacción de sorpresa, preguntas. Su interlocutor se contentó, mientras bebía té, con ir pasando las páginas del pasaporte mientras lo leía todo; luego alargó la mano hacia un sello y lo aplicó sobre la última hoja.

Era la marcha garantizada, y Adil se apresuró a guardar el pasaporte en el bolsillo. Hablar de Sonia era más difícil, tan difícil que se puso muy colorado y se atropelló pronunciando unas palabras que no querían decir nada. Se disculpaba. Pedía perdón, pero deseaba saber... Aún no estaba seguro... Tal vez...

—*Sprechen sie Deutsch?* —preguntó el funcionario, que le examinaba con curiosidad.

—*Jawohl!*

¿Por qué aquel hombre nunca le había dicho que sabía alemán? Durante meses Sonia había tenido que traducir sus conversaciones palabra por palabra, cuando los dos tenían una lengua común.

Adil Bey se puso a hablar muy aprisa y atropelladamente; dijo que su secretaria aquella mañana no había ido a su despacho, que tenía una necesidad imperiosa de hablar con ella, que...

—Pero ¿usted se va o no se va?

—Me voy... Es decir...

—Se lo preguntaré de otro modo: ¿quiere usted que mañana mismo le proporcione otra secretaria?

—Necesito saber qué ha sido de la mía. Soy cónsul. Y las normas internacionales...

Vacilaba antes de ir más lejos. Flotaba una sonrisa en los labios del jefe de la oficina, quien hizo con las dos manos un gesto de impotencia.

152

—¿Qué quiere que le diga? ¿Han desaparecido documentos de su despacho? ¿Tenía su secretaria alguna razón para abandonar el trabajo? Verá, yo sólo me ocupo de los extranjeros...

—En este caso, lléveme a la persona que pueda informarme.

El hombre se levantó, desapareció por una puerta y permaneció ausente durante más de un cuarto de hora, mientras Adil Bey llegaba a morderse las uñas de nerviosismo, mientras de vez en cuando comprobaba que el pasaporte seguía en su bolsillo.

¿Y si Sonia, a pesar de todo, durante aquel intervalo había regresado? ¿No había adoptado una actitud inútilmente combativa? Una funcionaria, a sus espaldas, hacía cuentas con su ábaco.

Por fin, el jefe del negociado apareció, siempre hermético.

—El camarada Rabinovich le recibirá dentro de unos minutos. ¿Me permite?

Y sentado de nuevo ante su escritorio, consultó unos expedientes y estampó varias firmas aquí y allá. Le llevaron un nuevo vaso de té. Se lo ofrecieron a Adil Bey, quien lo rechazó. Por fin se levantó, miró un momento por la ventana, encendió un cigarrillo.

—¿Quiere seguirme?

¿Por qué en aquel preciso momento? No se había oído ningún timbre. No había mirado su reloj. ¡O sea que había hecho esperar al cónsul por hacerle esperar!

En el despacho vecino vio sentado, a solas, a un hombrecillo judío con gafas de acero, perilla y uñas sucias.

—¿Prefiere hablar francés? —preguntó.

¡Y hasta entonces habían hecho creer a Adil Bey que en toda la ciudad nadie hablaba francés! Era el día de los descubrimientos. Pero no tenía tiempo para pensar en todo aquello. Recitó:

—Deseo saber qué ha sido de mi secretaria, que ha desaparecido esta mañana.

—¿Por qué desea saberlo?

Las gafas agrandaban desmesuradamente los ojos que le estaban mirando, les daban una expresión alucinante de candidez.

—Porque... es mi secretaria... y...

—Me han dicho que se va usted esta noche o mañana.

—En efecto, quería...

—¿Ya no se va?

Adil Bey sintió miedo, mientras que aquellos ojos inmensos seguían mirándole.

—¡Claro que me voy!

—En este caso no necesita a su secretaria. A menos que desee usted que le acompañe, pero en este caso tendría que hablar con nosotros.

—Le aseguro... No se trata de que me acompañe...

—Entonces, perfecto, ¿no? ¿Puedo hacer algo más por usted?

¡Lo sabían, estaba seguro! Además, el jefe del negociado de extranjeros, que se había quedado junto a la puerta, había seguido toda la conversación, aunque ésta se desarrollara en francés.

—A propósito, ¿en qué barco se va?

—Todavía no lo sé.

—Esperamos tener el placer de volver a verle en Batum.

Lo que horrorizaba era la monstruosa ingenuidad de aquellos ojos. Recordaban los ojos de un animal.

Rabinovich a un lado; el hombre rapado al otro. Y al dar la vuelta Adil Bey descubrió que un tercer personaje había asistido también a la conversación. Por un momento tuvo la descabellada idea de que le rodeaban, de que entre los tres iban a impedirle que saliera de Rusia.

—Hasta la vista.

—Buen viaje.

Le dejaron pasar, pero no le acompañaron. Los tres se quedaron en el despacho para hablar de él.

En la escalera, Adil Bey se abrió paso a empujones, sin que nadie protestara. Una vez en la calle, anduvo más aprisa, volvió a su casa para asegurarse de que Sonia no estaba allí. Las ventanas de enfrente estaban cerradas. Sentía el mismo dolor difuso de cuando en sueños se corre en vano detrás de un tren o se bajan unas escaleras sin tocar los peldaños.

Si volvía a encontrar a Sonia, ¿tendría tiempo de preparar la marcha? ¡El tenía que irse! Ahora era imposible quedarse en Batum después de la visita a Rabinovich. Desde luego, no había hecho nada, y, sin embargo, se comportaba como si fuera culpable. Debía tomar una decisión. Aún tenía por delante una espera de horas, y no podía estar sin hacer nada.

Echó a andar de nuevo, haciendo que los charcos salpicasen, recorrió los muelles, ya sin aliento, pero sin aflojar el paso, y llegó a las oficinas de la Standard.

—¿Está Mister John?

—Está almorzando arriba.

Nunca había visto el comedor de John, y se sorprendió al encontrar a éste en una estancia cómoda, servido por un criado de chaqueta blanca y pechera almidonada.

John, con la camisa arremangada y los ojos vagos, tendió la mano a su visitante.

—¿Qué tal?

—Sonia ha desaparecido.

—Un cubierto —dijo John al criado.

—No tengo hambre. Tengo prisa.

—Da igual.

—Es absolutamente necesario que sepa qué le ha pasado. A usted puedo decirle la verdad. Ha pasado la noche conmigo. Esta mañana, al irse, me ha prometido que volveía a las nueve. En las oficinas me han recibido de una manera extraña, a la vez burlona y amenazadora.

Hablaba aprisa, hasta quedarse casi sin resuello, mientras John continuaba comiendo, hasta que por fin se levantó con la boca llena y condujo a Adil Bey hasta cerca de una ventana para señalarle un patio sin adoquinar, con un suelo de tierra negra, detrás de un muro coronado por tres hileras de alambre de espino.

—¿Qué es eso?

En el patio, rodeado por edificios de ladrillo, no se veía a nadie. Adil Bey al principio no comprendió, luego de pronto se acordó del hombre que cruzaba clandestinamente la frontera.

—¿Es allí?

Estaba desconsolado, pero no de la manera que hubiese creído estarlo. En resumen, todas sus idas y venidas desde aquella mañana tenían a Sonia por centro. ¡Por ella corría así! Y no obstante, al mirar aquel patio siniestro, cuando trataba de evocar su rostro, se sentía incapaz de reconstruirlo. Los rasgos permanecían en la vaguedad, sin expresión, como si la rusa hubiese estado lejos, muy lejos de él.

—¿No la habrán fusilado?

—Esta mañana no he oído ningún disparo. ¿Ve aquel edificio que es más pequeño que los otros, a la izquierda del patio? Allí es donde lo hacen.

Bajo aquella luz tan cruda, era verdaderamente un decorado como el que se ve en las fotografías de los periódicos, y Adil Bey se acordó de una foto que él mismo tomó durante la guerra: cráteres de obús al amanecer, con las botas de un cadáver en primer término.

—¿Qué vamos a hacer?

—Coma.

John, cogiendo de la mesa una tajada de asado frío, la masticó mientras se dirigía hacia el teléfono, pidió un número que Adil Bey no conocía, parlamentó durante largo rato en un ruso muy puro y muy suelto.

Nunca le había oído decir que hablaba ruso. Le hacía cumplidos al aparato. Sonreía. Debía de interesarse por la salud de su interlocutor. Mientras oía la respuesta, se sirvió un vaso lleno de whisky, y sólo poco a poco se fue poniendo más serio, a veces afirmando con la cabeza, mientras decía:

—*Da... Da...* ¡Sí!... ¡Sí!...

Después de colgar apuró el vaso con una lentitud que no era habitual en él.

—¿A quién ha telefoneado?

—Al jefe de la GPU, al jefe máximo.

—¿Qué le ha dicho?

—¿Por qué no come? Me ha aconsejado que no me metiera en este asunto. He insistido. Le he pedido que me confesara la verdad.

—¿Y qué?

—Nada. Opina que lo mejor que puede usted hacer es tomar su barco esta noche.

—¿O sea que la han matado?

—No lo creo. Esta mañana no he visto idas y venidas sospechosas en el patio.

—Dígame, John, ¿cree usted que aún puedo hacer algo por ella? Contésteme con franqueza. Estoy dispuesto a todo...

Estaba empapado de sudor, mientras el otro, por toda respuesta le servía un vaso lleno de alcohol.

—Bébase esto.

—No puedo abandonarla. Sepa usted que desde hace meses es mi amante...

—¡Beba!

John engullía mermelada, con los codos sobre la mesa y la mirada fija en un dibujo del mantel.

—Sería un miserable si me fuese sin ella. Tiene usted que comprenderme. Sólo si estuviera seguro...

Diez veces repitió lo mismo con palabras diferentes, y sin darse cuenta empezó a comer. ¿Le escuchaba John? Adil Bey hablaba, hablaba, como no había podido hacerlo en la oficina de los rusos. A veces miraba el reloj, que estaba aún muy lejos de señalar la media noche.

—Lo que habría que saber es a quién tengo que dirigirme...

John encendió un cigarro, volvió a llenar el vaso de su compañero y se echó hacia atrás en su silla.

Cuando Adil Bey, con la frente húmeda y los ojos suplicantes, dejó por fin de divagar, articuló:

—Ahora va a hacer lo siguiente. Volverá a su casa y hará las maletas. Hará que las lleven a bordo del barco y se ocupará de los trámites de aduana. El barco no zarpa hasta media noche. Hacia las diez estaré en el bar con el capitán, y allí se reunirá usted con nosotros. Ya le diré si hay alguna novedad.

—¿Cree usted que entonces sabrá algo?

—No creo nada. Haré lo que pueda.

—Pero ¿qué hará? ¿A quién va a dirigirse?

—No se preocupe por eso.

Y empujó hacia él la caja de cigarros.

*   *   *

Cuando Adil Bey vio a través de la niebla las luces del bar, cuando adivinó la música, aflojó el paso, aliviado, como el nadador que deja de dar grandes brazadas al acercarse al salvavidas.

Tenía los nervios de punta. Durante horas enteras se había agitado, febril e impaciente, solo en aquella ciudad en la que ya no se sentía seguro. Era un hecho. El propio John lo había reconocido: Adil Bey corría peligro.

No sólo Sonia no había vuelto, sino que además la asistenta se había ido sin que se supiera por qué, y las ventanas de la casa de enfrente no se habían abierto durante todo el día.

A su alrededor se estrechaba como una conjura de vacío y de silencio. Por ejemplo, había estado buscando por las calles un mozo de cuerda para su equipaje. Había andado durante largo rato bajo la llovizna. ¡Sin encontrar a nadie!

El mismo había tenido que cargar con sus baúles y maletas. El ángulo de la escalera era difícil. Algún vecino hubiera podido ayudarle. Pero nadie apareció.

¿Qué podía hacer con su equipaje en medio de la acera? ¡Ni un taxi, ni un coche! ¡Le rodeaban de vacío, le cercaban, querían ahogarle en el vacío!

En unas obras encontró una carretilla, y fue el propio Adil Bey, palidísimo, quien la fue empujando a lo largo del muelle.

Tenía que llegar a la aduana a tiempo. Pasara lo que pasase, al día siguiente no podía seguir en la ciudad.

Con su carretilla pasó junto al Lenin de bronce, luego por delante de la casa de los sindicatos, donde no se veía a nadie. Trató de evocar a Sonia en la ventana en la que la había visto, pero la imagen se le escurrió una vez más. Tenía demasiadas cosas que hacer y que pensar. Le mandaron de aduanero en aduanero. Nadie le ayudaba. Hubiera querido quedarse en el puerto, muy cerca del barco, y no volver a todas aquellas calles anegadas de humedad, con sus casas oscuras en las que pululaban sombras, y sus oficinas donde los funcionarios tenían sonrisas de amenaza.

Ahora era el fin del vagar y el correr. Entraba en la música. Entregó el sombrero y el abrigo, cerca del disco luminoso del jazz. En una mesa le esperaban tres personas. Entre John y el capitán belga había una mujer que le volvía la espalda. ¡Era Nejla!

—¿Whisky? —preguntó John.

Y se apresuró a añadir, para evitarse preguntas eno-josas:

—Lo siento, no he podido enterarme de nada más.

El reloj, encima de los músicos, señalaba las diez. Nejla mostraba una alegría nerviosa.

—Parece ser que se va usted, Adil Bey —dijo volvién-dose hacia él.

—Todavía no lo sé.

—¡No me diga! Sé que ya han embarcado su equipaje.

Dirigió una mirada al capitán y otra a John, quien se levantó y fue hacia los lavabos, haciendo una seña al turco para que le siguiera.

—¿Cree usted que ya no puede intentarse nada? —pre-guntó éste cuando estuvieron solos.

—Nada.

—¿Y más tarde? ¿Mañana, pasado mañana?

—Nada.

—¿Cómo lo sabe?

—Esta tarde he visto llegar la camioneta.

—¿Qué camioneta?

No comprendía, y, sin embargo, adivinaba que era algo siniestro.

—La que tiene una carrocería de chapa, con agujeros para ventilar el interior.

La había visto dos o tres veces. Cuando la veía todo el mundo sabía que había que recoger un cadáver en algún lugar.

—Cuando la camioneta llega al cuartel y entra en el patio... ¡Tranquilícese, amigo mío!

John le daba unas cariñosas palmadas en la espalda. Adil Bey estaba inmóvil, sin llorar, sólo sintiendo una sensación de frío entre los omoplatos.

—¿Está seguro de que era para ella?

Su voz era normal, su mirada más firme de lo que lo había sido durante todo aquel día.

—Venga. Ya deben de estar preguntándose qué hacemos aquí.

John volvió a ocupar su lugar y siguió observando a Adil Bey, quien interrumpió la animada conversación que el capitán sostenía con Nejla.

—¿Cuándo zarpamos?

—Hacia la una. Pero hay que estar a bordo antes de las doce.

Aún faltaba más de una hora de espera, y John vio la mirada huidiza de Adil Bey que se deslizaba sin cesar de una persona a otra, espiando hasta la cortina que separaba del resto una parte de la sala.

—¡Beba! Se encontrará mejor.

—¿Usted cree?

También Nejla miraba a Adil Bey con inquietud, y tocando con el pie la pierna del capitán le dijo en voz muy baja:

—¿Se lo han dicho?

—Aún no.

¡Una hora puede hacerse terriblemente larga! Y si habían fusilado a Sonia, cuyo hermano pertenecía a la GPU, no había ningún motivo para que...

—A propósito... —murmuró el capitán en voz muy baja, como si se sintiera incómodo, inclinándose hacia él.

Había bebido. Tenía las mejillas rojas. Adil Bey observó que sujetaba el brazo de Nejla.

—Puesto que la persona que usted ya sabe no puede venir, y como todo está preparado... —Se cercioró de que las personas próximas no podían oírle. John seguía el ritmo del jazz con sus dedos—. He decidido llevar a la señorita en lugar de ella... Es mejor que vayamos al barco... Dentro de una media hora se reunirá con nosotros... ¡Camarero!

Quería pagar, pero John le cogió el brazo y dijo al camarero en ruso:

—Ponlo en mi cuenta.

Había dejado de llover. En el umbral unas mujeres estaban esperando, como todas las noches, pero no dirigieron ni una simple sonrisa a los tres hombres. John se apoyaba en el hombro de Adil Bey. Pisaban el fango más viscoso de los muelles de descarga, y el aire apestaba a petróleo.

La policía aún no había llegado. Adil Bey oyó que alguien lo decía. Se dejaba llevar. Hasta que se encontró en el camarote del capitán, donde se quedó a solas con John.

—Aquí está más tranquilo, ¿verdad?

El asintió dócilmente, bebió la cerveza que le sirvieron, pero casi inmediatamente pensó en otra cosa.

Un poco después se oyeron pasos en la pasarela. Se abrió la puerta. Entró Nejla empapada, con el vestido pegado al cuerpo, y el oficial cerró la puerta.

—¿Quiere desnudarse en el cuarto de baño?

Todo sucedía como en una película muda y sin música. Adil Bey estaba completamente al margen de lo que pasaba, y, cuando sentía posarse sobre él la mirada de John, trataba de sonreírle, como para tranquilizarle. Todo había terminado sin haber terminado. O, mejor dicho, todo parecía haber terminado mal, sin que hubiera ocurrido nada definitivo, puesto que la policía aún no había subido a bordo.

El capitán entró con Nejla en el camarote de al lado. Ella volvió a salir vistiendo solamente un albornoz, y se ocultó en el armario de la ropa.

Entró el segundo oficial.

—Ya están abajo.

¿Por qué no podía recordar ni siquiera una de las expresiones de Sonia? Volvía a ver su silueta negra, su cuello delgado y claro, la forma de su sombrero y hasta la mancha lechosa del rostro. Pero nada más. ¿Por qué?

En el comedor de los oficiales, tres hombres con gorra

verde estaban sentados a una mesa. También a ellos les habían servido cerveza. Encima de la mesa había un montón de pasaportes, y los treinta y dos hombres de la tripulación se alineaban junto a la pared.

Pasaban revista, como en un cuartel. Kolin era quien hojeaba los pasaportes, miraba la fotografía, luego al hombre que se adelantaba unos pasos.

—Peeters...

—¡Presente!

Kolin lo hacía lentamente, a conciencia. Adil Bey, el último de la fila, tenía los ojos fijos en una cinta negra, de dos dedos de ancho, que adornaba su ojal como una condecoración.

—Van Rompen...

—¡Presente!

Devolvía el pasaporte a cada uno.

—Nielsen

—¡Presente!

—Adil Zeki Bey.

No hubo una respuesta inmediata, y Kolin levantó la cabeza hacia la cara abotargada del turco, que miraba obstinadamente el ojal enlutado y no se movía, ni siquiera respiraba.

—Capitán Cauwelaert...

—¡Presente!

Habían terminado. Le habían devuelto el pasaporte. Sus dedos casi rozaron los de Kolin, y no había pasado nada. Ahora empezaba la inspección, mientras la tripulación permanecía en el comedor de oficiales. Kolin salió con sus hombres, seguido del capitán. Los marineros se sentaron. Uno de ellos terminó la botella de cerveza.

—¿Qué tal, amigo mío?

John miraba fijamente a Adil Bey.

—Bien, nada... —Sonrió lamentablemente—. ¿Ha visto la cinta negra?

—Sí. Y también sus ojos. De haber estado en su lugar, yo le hubiera matado a usted.

¿Cómo era posible que John hubiera adivinado...? La ventana de enfrente, Kolin que fumaba sus cigarrillos en medio de la noche... Los papeles grises que Adil Bey pegó a los cristales... Y el ruso que se había asomado diez veces para mirar la calle...

—Ya es hora de que me vaya. ¡Buena suerte!

—¿Se quedará en Batum mucho tiempo más?

John le miró como sólo él sabía hacerlo, con una extraña agudeza en la blandura.

—Sin duda para siempre.

—¿Por qué?

La puerta estaba abierta. Se veían los muelles mojados, la luz del bar a lo lejos, y se adivinaba todo aquel laberinto de callejas sórdidas.

John se limitó a contestar:

—La costumbre... ¡Adiós!

Kolin y sus hombres bajaban por la escalera. Kolin llevaba la cartera bajo el brazo. El capitán miró a Adil Bey al pasar ante él.

Luego hubo idas y venidas, maniobras, un estruendo de órdenes, ruidos de cabrestantes y de surtidor sobre la cadena del ancla.

¿Acaso Kolin al volver a su casa se acodaría en la ventana para mirar las ventanas ciegas de enfrente?

Adil Bey estaba en uno de los puentes, con los codos sobre el empalletado. El universo se movía. Las luces cambiaban de lugar. Cerca de él pasaron unos marineros corriendo. De vez en cuando resonaba el timbre del telégrafo que transmitía las órdenes a las máquinas.

¿Llovía o era sólo la niebla? La piel estaba húmeda, el puente mojado. El jadeo del motor era cada vez más intenso.

Pasaron rozando una luz verde, luego una luz roja.

El barco dejó oír por tres veces una prolongada sirena antes de adquirir velocidad.

¿Batum? Ya no era visible. Dejaban atrás un cabo y la parte más negra del cielo, aquello eran ya las montañas del Asia Menor.

—El capitán le ruega que vaya a verle en su camarote.

El camarero se alejó. Adil Bey subió la escalera, oyó voces estrepitosas.

—¡Adelante!

Había mucha luz. Nejla, con un pijama de color rosa, reía a carcajadas mientras ponía una aguja nueva en el fonógrafo. El capitán llevaba desabrochada la chaqueta del uniforme. El camarero trajo champaña.

—He pensado que le gustaría tomar una copa con nosotros...

La aguja estiraba un tango que tocaban todas las noches en el bar. Nejla lo cantaba, imitando sus pasos de baile sin dejar de mirar a los dos hombres con ojos brillantes.

Luego se sentó en el brazo del sillón del capitán. Luego...

Pidieron más champaña. Nejla se rió mucho. Bailó. Besó al capitán y también a Adil Bey. Le obligó a bailar.

De vez en cuando le guiñaba un ojo, sobre todo cuando hacía zalemas al belga. A veces uno de sus pechos asomaba por entre el pijama, y ella tardaba en darse cuenta.

El barco vibraba regularmente. Sólo se notaba un débil balanceo, y, sin embargo, Adil Bey se sentía mareado.

¿Cómo no pensar en Sonia? Lo único que conseguía recordar era un vestido negro, unas botas, un sombrero...

El capitán era feliz. Era muy tarde cuando se levantó.

—¡Hay que acostarse!

Estrechó la mano húmeda de Adil Bey. Nejla no salió del camarote, y una vez cerrada la puerta aún se oían sus risas.

Más tarde cerraron los postigos de la lumbrera, y Adil Bey, que estaba mareado, se deslizó hasta el empalletado, y vomitó con arcadas tan fuertes que tuvo que sujetarse el vientre con las dos manos.

Las superestructuras parecían blancas como la leche, a pesar de la llovizna. Todo lo demás era negro.

¿Qué podía decirle el ministro? ¡Cualquier médico encontraría en él rastros de arsénico! John, que conocía el país, le había aconsejado sin vacilación que se fuese.

Además, él se batió en los Dardanelos, y más tarde por Mustafá Kemal. Y no había dudado en plantar cara a Pendelli.

Seguían oyéndose risas en el camarote del capitán, mientras Adil Bey, en el suyo, giraba el conmutador eléctrico y miraba maquinalmente hacia la lumbrera, como para asegurarse de que ya no había ninguna ventana enfrente.